CONHECENDO O DEUS TRINO

C525c   Chester, Tim
         Conhecendo o Deus trino : porque Pai, Filho e Espírito Santo são boas novas / Tim Chester ; [tradução: Elizabeth Gomes]. – São José dos Campos, SP : Fiel, 2016.

         187 p. : il.
         Tradução de: Delighting in the trinity: why Father, Son and Spirit are good news
         Inclui bibliografia: p. [183]-187
         ISBN 9788581323497

         1. Santíssima Trindade. 2. Teologia dogmática. I. Título.

                                                    CDD: 231.044

Catalogação na publicação: Mariana C. de Melo Pedrosa – CRB07/6477

CONHECENDO O DEUS TRINO:
Porque Pai, Filho e Espírito Santo são boas
Traduzido do original em inglês
Delighting in the Trinity:
Why Father, Son and Spirit are good news
Copyright © Tim Chester 2010

∎

Publicado originalmente por
The Good Book Company, UK.

Copyright © 2015 Editora Fiel
Primeira edição em português: 2016

Versão bíblica utilizada Almeida Revista e Atualizada da Sociedade Bíblica do Brasil

Todos os direitos em língua portuguesa reservados por Editora Fiel da Missão Evangélica Literária
PROIBIDA A REPRODUÇÃO DESTE LIVRO POR QUAISQUER MEIOS, SEM A PERMISSÃO ESCRITA DOS EDITORES, SALVO EM BREVES CITAÇÕES, COM INDICAÇÃO DA FONTE.

∎

Diretor: Tiago J. Santos Filho
Editor: Tiago J. Santos Filho
Tradução: Elizabeth Gomes
Revisão: Translíteres
Diagramação: Rubner Durais
Capa: Rubner Durais
ISBN: 978-85-8132-349-7

Caixa Postal 1601
CEP: 12230-971
São José dos Campos, SP
PABX: (12) 3919-9999
www.editorafiel.com.br

Sumário

1 Introdução: Crer no Deus trino 11

Primeira Parte: Fundamentos Bíblicos

2 A unidade de Deus na Bíblia 25
3 A pluralidade de Deus na Bíblia 41
4 Unidade e pluralidade diante da cruz 63

Segunda Parte: Desenvolvimento Histórico

5 Os atos de Deus, o Ser de Deus 83
Séculos II – IV AD
6 Começando com três, começando com um 91
Séculos V– XV AD
7 Às margens, ao centro 107
Séculos XVII– XX AD

Terceira Parte: Implicações Práticas

8 A Trindade e a revelação 119
9 A Trindade e a salvação 133
10 A Trindade e a humanidade 151
11 A Trindade e a missão 167
    Leituras adicionais 181
    Bibliografia 183

À minha esposa, Helen.
Viver um relacionamento com você
tem me dado liberdade e alegria,
enriquecendo minha humanidade.

Um Senhor, um Deus, Deus uma Trindade,
O que quer que eu tenha dito nestes livros
que teu povo reconheça tudo que eu disse que vem de tua indução:
quanto àquilo que eu disse que vem somente de mim,
peço perdão a ti e a teu povo.

Sentença conclusiva de Agostinho em *A Trindade*

Capítulo 1

INTRODUÇÃO: CRER NO DEUS TRINO

Muitos de nós achamos a doutrina da Trindade — que Deus é três pessoas compartilhando uma natureza — difícil de entender e, francamente, um pouco embaraçosa.. Além do mais, parece que conseguimos passar sem ela. Mas na realidade, a Trindade está no coração de tudo que cremos. A Trindade dá forma à verdade cristã.

Há muitas pessoas que afirmam crer em Deus, mas não têm tempo para ele. Isso porque seu "deus" é remoto e não se envolve. O Deus triuno enviou seu Filho para a história humana para que pudéssemos conhecê-lo como Pai, e ele envia seu Espírito a nos acompanhar nas diversas lutas da vida. Descobrir mais a respeito desse Deus é uma maravilhosa aventura.

Permita que eu comece explicando como este livro veio a ser escrito. Eu estava lendo a Bíblia com dois amigos muçulmanos. A cada semana, eles vinham à minha casa e discutíamos uma passagem da Escritura enquanto tomávamos uma xícara de chá. Muitas de suas perguntas eram a respeito da Trindade: Como pode Deus ter um filho? Como pode haver três deuses e um Deus? Na primeira vez que essas perguntas surgiram, pensei com meus botões: "Ah não, eles fizeram uma pergunta sobre a Trindade. O que vou dizer? Como levar a conversa para outro assunto?".

Uma doutrina embaraçosa?

Eu estava envergonhado com a doutrina da Trindade. Quanto mais pensava nela, mais louca essa minha atitude me parecia. O Deus vivo é trino. É loucura envergonhar-se sobre a Trindade, porque isso seria envergonhar-se de Deus! O Deus triuno revelado na Bíblia é boa-nova e, portanto, a Trindade também terá de ser boa-nova. Assim fui adiante pensando. Como é que a doutrina da Trindade é uma boa notícia? Este livro é a minha resposta a essa pergunta.

Escrevi numerosos livros. Porém este livro é o que mais tive prazer em escrever. Tenho sempre encontrado motivação na doutrina da Trindade. Pensar nisso com profundidade nos leva mais fundo no conhecimento do Deus trino que é fundamento de toda a realidade. Ele é o Deus que nos criou para conhecê-lo, que dá significado e alegria a nossas vidas. Examiná-lo mais de perto é uma maravilhosa aventura. Termos alegria nele é nosso fim principal.

O estudo da doutrina da Trindade prontamente se transforma em adoração. Fica em nós um profundo senso de maravilha ao contemplarmos nosso grande Deus. Tal adoração nos conduz a viver piedosamente. A raiz do pecado é sempre a idolatria. É quando nos desviamos do Deus verdadeiro para buscar satisfação em outras coisas e outras maneiras de viver. Reacender o culto ao nosso Deus extirpa a idolatria de nossos corações. "Por que gastais o dinheiro naquilo que não é pão, e o vosso suor, naquilo que não satisfaz?" diz Isaías. "Ouvi-me atentamente, comei o que é bom e vos deleitareis com finos manjares." (Isaías 55.2). O Deus trino é rico alimento. Não devemos nos envergonhar com a doutrina da Trindade. Devemos — e podemos — amar seu estudo e ter prazer em falar aos outros a seu respeito. Espero demonstrar que, quando nos fizerem uma pergunta sobre a Trindade, teremos uma belíssima oportunidade de compartilhar o cerne de nossa fé.

Introdução: Crer no Deus trino

Uma doutrina irrelevante?

Robin Parry diz: "Para muitos cristãos, a Trindade tornou-se algo como um apêndice: ele fica ali, mas não têm certeza da sua função; passam pela vida sem que ele faça muita coisa, e se tivessem de removê-lo não seriam muito prejudicados"[1]. Seria irrelevante a doutrina da Trindade? Na ótica das igrejas atuais, poderíamos pensar que sim. Em uma livraria cristã local não consegui encontrar um livro sequer sobre a doutrina da Trindade. Portanto, parabéns por você ter encontrado este!

Alister McGrath escreve: "A maioria dos evangélicos não fala nada sobre a Trindade". E continua: "O verdadeiro impulso do coração do evangelicalismo está em um grupo de estudo bíblico. Se você vai ao estudo e escuta o que falam, ouvirá muito sobre Jesus e seu impacto sobre nós. Porém, a Trindade não é vista como de importância central — é vista como algo difícil."[2]. Peter Toon observa que, conquanto as principais denominações afirmem a doutrina da Trindade, "poucos pregadores e mestres realmente proclamam essa crença nos sermões... existe um sentimento geral de que a Trindade seja difícil como também sem importância."[3].

Recentemente, examinei cerca de cinquenta de meus periódicos teológicos — todos claramente evangélicos. Vasculhava os artigos para decidir quais eu deveria guardar, quando de repente percebi que nenhum deles tratava da Trindade. Comecei a procurar, mas encontrei apenas um artigo entre mais de quatrocentos. Uma razão para essa negligência está no fato de que os evangélicos são, por convicção, o povo do "Livro", e por natureza, ativistas[4].

---

1   Robin Parry, *Worshipping Trinity: Coming Back to the Heart of Worship* (Paternoster, 2005).
2   Alister McGrath, "Trinitarian Theology" em Mark A. Noll and Ronald F. Thiemann (eds.), *Where Shall My Wond'ring Soul Begin: The Landscape of Evangelical Piety and Thought* (Eerdmans, 2000), pp. 53.
3   Peter Toon and James D. Spiceland (eds.), *One God in Trinity* (Samuel Bagster, 1980), p. xi.
4   D. W. Bebbington, *Evangelicalism in Modern Britain* (Unwin Hyman, 1989), pp.10–14 and Mark A. Noll, *The Rise of Evangelicalism* (Apollos, 2004), pp. 16–18.

São o povo da Bíblia com pouco interesse por aquilo que poderia ser percebido como especulação extra bíblica de relevância mínima diante das realidades do dia a dia da vida cristã.

Uma doutrina prática?

Na realidade, contudo, a Trindade é tudo menos irrelevante. A doutrina da Trindade é central ao modo como conhecemos Deus, como somos resgatados do pecado, como entendemos a vida e missão da igreja, e até mesmo o que significa nossa humanidade. Michael Jensen diz: "A doutrina da Trindade sustenta nossa própria existência como cristãos — dando-nos uma forma singular à vida cristã"[5]. Existe uma estrutura trinitariana em cada parte da verdade e da vida cristãs. Walter Kasper a chama de "a gramática da salvação"[6]. Considere a obra da criação de Deus:

- O Pai cria por meio do Filho (Colossenses 1.15-17; Hebreus 1.2).
- Deus falou e o mundo veio a existir, e o Verbo que ele falou era o seu Filho (João 1.1-3).
- O Filho continua a estar envolvido na criação, sustentando todas as coisas por sua poderosa palavra (Hebreus 1.3).
- Deus deu vida ao primeiro homem soprando "o fôlego de vida" em suas narinas (Gênesis 2.7). A palavra "sopro" é a mesma palavra "Espírito" ou "vento" que pairava sobre as águas (Gênesis 1.2).
- A Palavra criativa de Deus vem com seu sopro. "Os céus por sua palavra se fizeram, e, pelo sopro de sua boca, o exército deles." (Salmo 33.6). De modo similar, a obra da salvação reflete a atividade trinitariana de Deus.

---

5 Michael Jensen, "The Very Practical Doctrine of the Trinity," *The Briefing* 249 (March 2001), p. 11.
6 Walter Kasper, *The God of Jesus Christ* (SCM, 1984, p. 311).t

De uma forma semelhante, a obra da salvação reflete a atividade trinitária de Deus:

- Por todo o Antigo Testamento, Deus aparece ao seu povo em forma humana (Josué 5.13-15; Ezequiel 1.25-28), e o seu Espírito media sua presença entre seu povo (Neemias 9.20, 30; Isaías 63.10-14).
- Quando Jesus vem, ele é enviado pelo Pai (João 6.38-40; 17.20-21).
- Ele nasce de uma virgem pelo Espírito Santo (Lucas 1.34-35).
- No batismo de Jesus, o Pai fala do céu, recomendando seu Filho, e o Espírito desce em forma de pomba (Marcos 1.9-11).
- Jesus conduz seu ministério no poder do Espírito (Mateus 12,28; Lucas 4.14; João 3.34) — conforme Isaías havia prometido (Lucas 4.18-19).
- Na cruz, o Pai entrega seu Filho para nos salvar (João 3.16).
- O Filho entrega sua vida pelo seu povo em obediência ao Pai, livremente, por sua própria vontade (João 10.17-18).
- Assim, somos reconciliados ao Pai pela morte do Filho em nosso favor (2 Coríntios 5.19).
- O Pai ressuscita o Filho mediante o Espírito (Atos 2.24; Romanos 1.4).
- O Filho é agora o mediador entre Deus e a humanidade (1 Timóteo 2.5).
- O Pai envia o Espírito em nome de Jesus (João 14.16-17, 26).
- Jesus envia o Espírito do Pai (João 15.26).
- O Espírito aplica a obra do Filho a nossas vidas. Ele traz convencimento do pecado, da justiça e do juízo (João 16.7-11). Ele abre nossos olhos para reconhecer Jesus como Senhor (1 Coríntios 12.3).

- Por meio do Espírito, nascemos de novo (João 3.5-8) e pelo Espírito o Pai nos outorga a nova vida de Cristo (Romanos 8.11).
- Somos salvos pela bondade do Pai mediante o renascimento pelo Espírito, que ele derramou sobre nós pelo Filho (Tito 3.4-7).

Algumas pessoas buscam segurança em uma experiência subjetiva do Espírito; outras, na obra objetiva de Cristo. Porém, a segurança cristã engloba ambos, pois possui uma base tríplice da graça trinitariana. Tem suas raízes no **amor eletivo** do Pai, na **obra consumada** do Filho e no presente **testemunho do Espírito**. James Torrance diz que podem ser dadas três respostas à questão "quando me tornei cristão":

> Primeiro, sou filho de Deus desde toda a eternidade no coração do Pai. Segundo, tornei-me filho de Deus quando Cristo, o Filho, há muito tempo viveu, morreu e ressurgiu por mim. Terceiro, eu me torno filho de Deus quando o Espírito Santo — o Espírito de adoção — sela em minha fé e experiência aquilo que fora o planejado desde a eternidade no coração do Pai e que foi completado de uma vez por todas em Jesus Cristo. São três momentos, mas apenas um ato de salvação, assim como cremos haver três pessoas da Trindade, mas um só Deus.[7]

A estrutura da oração espelha a estrutura trinitariana da salvação:

- Embora a oração possa ser oferecida ao Filho e ao Espírito, a norma do Novo Testamento é que a oração seja dirigida ao Pai (Lucas 11.1-13).

---

[7] James B. Torrance, *Worship, Community and the Triune God of Grace* (Paternoster/ IVP, 1996, p. 76).

Introdução: Crer no Deus trino

- O Filho *sempre* é mediador da oração. Oramos em nome de Cristo, porque por sua morte aproximamo-nos de Deus com confiança (Hebreus 4.14-16; 10.19-22).
- O Espírito nos auxilia no ato de orar, capacitando-nos a chamar a Deus de Pai e intercedendo por nós em nossa fraqueza (Romanos 8.14-16, 26-27).[8]

De modo semelhante, a adoração é "nossa participação por meio do Espírito na comunhão do Filho com o Pai, na sua vida vicária de culto e intercessão"[9]. A adoração não é primariamente o que ofertamos ao único Deus, mas o dom de participar da vida trinitária. Os cristãos, como sacerdotes, oferecem um "sacrifício de louvor" (Hebreus 13.15-16) mediante o sacerdócio de Cristo (Hebreus 2.17; 8.1-2). Calvino diz: "Cristo é o grande regente do coral que afina nossos corações para entoarmos louvores a Deus".[10]

O evangelho trinitariano também deixa sua marca sobre a comunidade que o evangelho trouxe à luz:

- A igreja é o povo de Deus (1 Pedro 2.9-10).
- É o corpo de Cristo e a noiva pela qual ele entregou sua vida (1 Coríntios 12; Efésios 5.25-27; Apocalipse 21.2).
- É a comunidade do Espírito Santo (2 Coríntios 13.14).
- Somos batizados na igreja "em nome do Pai e do Filho e do Espírito Santo" (Mateus 28.19).
- A igreja é o lugar em que Deus vive por seu Espírito (Efésios 2.22).

---

8   Sobre a estrutura trinitariana da oração, ver Tim Chester, *The Message of Prayer* (IVP, 2003, capítulos 1–4).
9   James B. Torrance, *Worship, Community and the Triune God of Grace*, p. 15. Ver também T. F. Torrance, *Theology in Reconstruction* (SCM, 1965, p. 248-251).
10 Citado em James B. Torrance, *Worship, Community and the Triune God of Grace*, p. 10.

- Cristo concede dons a seu povo mediante o Espírito (Efésios 4.7-13).
- Deus opera em nós mediante seu Espírito para que sirvamos ao Senhor Jesus Cristo (1 Coríntios 12.4-6).

Paulo diz: "porque, por ele [Cristo], ambos temos acesso ao Pai em um Espírito." (Efésios 2.18). Em todo lugar que olhamos, encontramos essa estrutura trinitariana da verdade e da vida cristãs. "Vivemos, nos movemos e temos nosso ser", diz Robert Letham, "em uma atmosfera trinitariana que tudo invade"[11]. O Filho opera por nós e o Espírito opera em nós em cumprimento da vontade do Pai. "Fomos escolhidos", diz Pedro, "segundo a presciência de Deus Pai, em santificação do Espírito, para a obediência e a aspersão do sangue de Jesus Cristo" (1 Pedro 1.2).

Se dissermos que a Trindade é difícil demais para dela nos ocuparmos, estaremos dizendo que Deus é complicado demais para dele nos ocupar, porque a "Trindade é o nome cristão de Deus"[12].

Se realmente queremos entender uma cultura, muitas vezes diz-se necessário que compreendamos a sua língua. Não adianta visitar um país, olhar seus lugares históricos, ler traduções de sua literatura, descobrir a sua história. Se quiser começar a ter uma visão da cultura, é necessário aprender a língua. É por essa razão que manter as línguas nativas é tão importante para a preservação da identidade cultural.

O mesmo é verdade para a fé cristã. Para entendê-la completamente, é necessário que se aprenda a língua, e sua linguagem é a Trindade. A Trindade é a língua na qual a verdade cristã é falada. Ela dá forma à verdade. A Trindade não é periférica, quanto menos é opcional. Ela está no maravilhoso e grandioso cerne de nossa fé.

---

11 Robert Letham, "The Trinity—Yesterday, Today and the Future", *Themelios* 28:1 (Autumn 2002), p. 32.
12 Karl Barth, citado em Gordon D. Fee, *The First Epistle to the Coríntios*, NICNT (Eerdmans, 1987, p. 586).

Uma doutrina incrível?

Amo quebra-cabeças, problemas matemáticos e este tipo de coisas. Um homem está a três-quartos do caminho para atravessar uma ponte quando vê um trem se aproximar. Quer continue a atravessar a ponte quer volte para trás, ele chegará ao final da ponte ao mesmo tempo que o trem. Qual a velocidade do trem? (A resposta é duas vezes a velocidade do homem, eu acho!). Ou você sabe o que obtém se digitar 1.2345678 na calculadora e em seguida a tecla de raiz quadrada? (Você terá de experimentar se quiser saber a resposta). Para muitas pessoas a Trindade parece um truque matemático — uma tentativa um tanto improvável de fazer com que 1 + 1 + 1 seja igual a 1.

Certamente é verdade que a natureza trina de Deus leva nosso conhecimento e imaginação ao limite e além dele. No entanto, conforme disse Agostinho: "Se conseguires entendê-lo, então isso não é Deus"[13].

Roger Nicole salienta, entretanto, que:

> É importante reconhecer que a doutrina da Trindade é um mistério. Contudo, ela não é absurda, como algumas pessoas a veem. Especificamente, não se afirma que Deus é um do mesmo modo que é três. Não estamos fazendo com que três seja igual a um. Estamos afirmando que três pessoas divinas partilham de uma só natureza divina. A unicidade de Deus não é uma unidade matemática... mas uma unidade que consiste na relação inseparável de Pai, Filho e Espírito [as pessoas]. A doutrina da Trindade... nada tem a ver com a tentativa de fazer uma inovação matemática aparentemente contraditória.[14]

Não precisamos ter medo da doutrina da Trindade.

---

13 Citado por Alister McGrath, *Understanding the Trinity* (Kingsway, 1987, p. 9).
14 Roger Nicole, "The Meaning of the Trinity" em Peter Toon e James D. Spiceland (eds.), *One God in Trinity* (Samuel Bagster, 1980, p. 4).

Lutando com a Trindade?

Muitas das palavras que usamos para "conhecer" são termos agressivos. *Apreendemos ou pegamos* as ideias. Nós as *agarramos* e *lutamos* com elas. Tentamos pegar e prender as ideias e *chegamos ao termo* com elas. *Pegamos, cativamos e apreendemos* uma ideia. São palavras que implicam controle. Afinal de contas, conhecimento é poder. Porém, Deus não pode ser conhecido dessa forma — não podemos prender ou agarrar a Deus. Ele está além de nosso controle. Nosso problema não é simplesmente a falta de informação.

Nosso problema é que o "assunto" da nossa investigação vai muito além de nossa compreensão ou controle. Sendo assim, não podemos esperar compreender o Deus triuno. Não podemos prender a Deus nem pegá-lo, assim como não conseguimos agarrar um punhado de água.

Mas embora não possamos esperar compreender plenamente a Deus, podemos conhecê-lo verdadeiramente. Se lermos uma biografia de uma pessoa, nosso conhecimento dela será limitado. Mesmo com a moda atual de se fazer análise psicológica nas biografias, não compreenderemos a vida interior dessa pessoa. Contudo, ainda assim podemos conhecer algo verdadeiro em relação a ela. Podemos saber muitos fatos de sua vida e obtermos uma percepção acertada, embora incompleta, de seu caráter. Poderemos até mesmo predizer como ela reagiria em determinadas circunstâncias. Do mesmo modo, não podemos compreender plenamente a vida interior de Deus, mas podemos conhecer algo verdadeiro sobre seus atos e seu caráter. Há uma diferença importante entre a biografia e nosso conhecimento de Deus. Não somente lemos sobre Deus na Bíblia. Podemos conhecê-lo pessoalmente. Experimentá-lo habitando dentro de nós. Podemos ter um relacionamento com ele. Colin Gunton conclui: "Porque, em nosso ser, somos estabelecidos na Trindade, somos capacitados a pensar *a partir de*, e com cuidadosa qualificação, *a respeito do* ser triuno de Deus"¹⁵. Noutras palavras, quando consideramos a Trindade, não estamos refletindo sobre algo totalmente estranho a nós, mas algo que é refletido em nossa experiência.

Menos de dez por cento da população do Reino Unido frequenta a igreja com regularidade, no entanto, de acordo com uma pesquisa de 2003, dois terços acredita em "Deus". Algumas pessoas acham isso surpreendente. Outros o enxergam como sinal para otimismo. Ainda assim, a realidade é que essas pessoas não acreditam em Deus — não no Deus verdadeiro. Talvez acreditem em um Deus que criou o mundo e agora o deixa para cuidar de si mesmo, ou invade tudo como a "força" dos filmes de *Guerra nas Estrelas*. Mas não creem no "Deus e Pai de nosso Senhor Jesus Cristo" (Romanos 15.6). Não podemos falar de fé em Deus sem perguntar em qual "Deus" acreditamos. Assim, muitas das pessoas que dizem crer em "Deus" não creem em Deus — pelo menos não no Deus que de fato existe e que verdadeiramente se revelou em Cristo Jesus.

Isso também significa que o "Deus" que muitas pessoas rejeitam também não é o Deus verdadeiro. Eles rejeitaram outro deus — um ídolo de fabricação humana. Tom Wright diz: O "deus" em que a grande maioria das pessoas acredita é, certamente, um deus deísta... distante, remoto, que não se importa com eles... Não é de surpreender que as pessoas que acreditam na existência dessa espécie de Deus não frequentem a igreja exceto de vez em quando. Quase não vale a pena sair da cama para um Deus dessa espécie.

Não estão envolvidos com Deus porque o seu deus não está envolvido com eles. Todavia a mensagem cristã é a boa-nova de que Deus se envolve. O Pai enviou seu Filho à dor e à confusão da história humana para nos reconciliar consigo mesmo, e agora nos dá seu Espírito para nos acompanhar nas lutas da vida. Ao contar a história do Deus triuno, convidamos as pessoas a conhecer o Deus

---

15 Colin Gunton, *The Promise of Trinitarian Theology* (T&T Clark, 1991, p. 6).

que governa o mundo e se aproxima de nós, dando as boas-vindas em família. Esse, sim, é um Deus por quem vale a pena levantarmos da cama!

Um membro de minha igreja estava olhando comigo a Trindade, trabalhando com grande parte do material deste livro. No final ele me escreveu:

> Antes de estudar a Trindade eu estava um tanto envergonhado em relação a Deus. Sem a Trindade Deus é incompreensível. Eu tinha pequenas migalhas de Deus; agora tenho o todo. É lindo, extremamente empolgante. Antes, tinha um Deus distante. Agora, desejo ficar perto dele. Ele é mais atraente para mim. Sinto que tenho uma história convincente a contar sobre Deus. Tenho na Trindade uma história que tem conexão com o mundo.

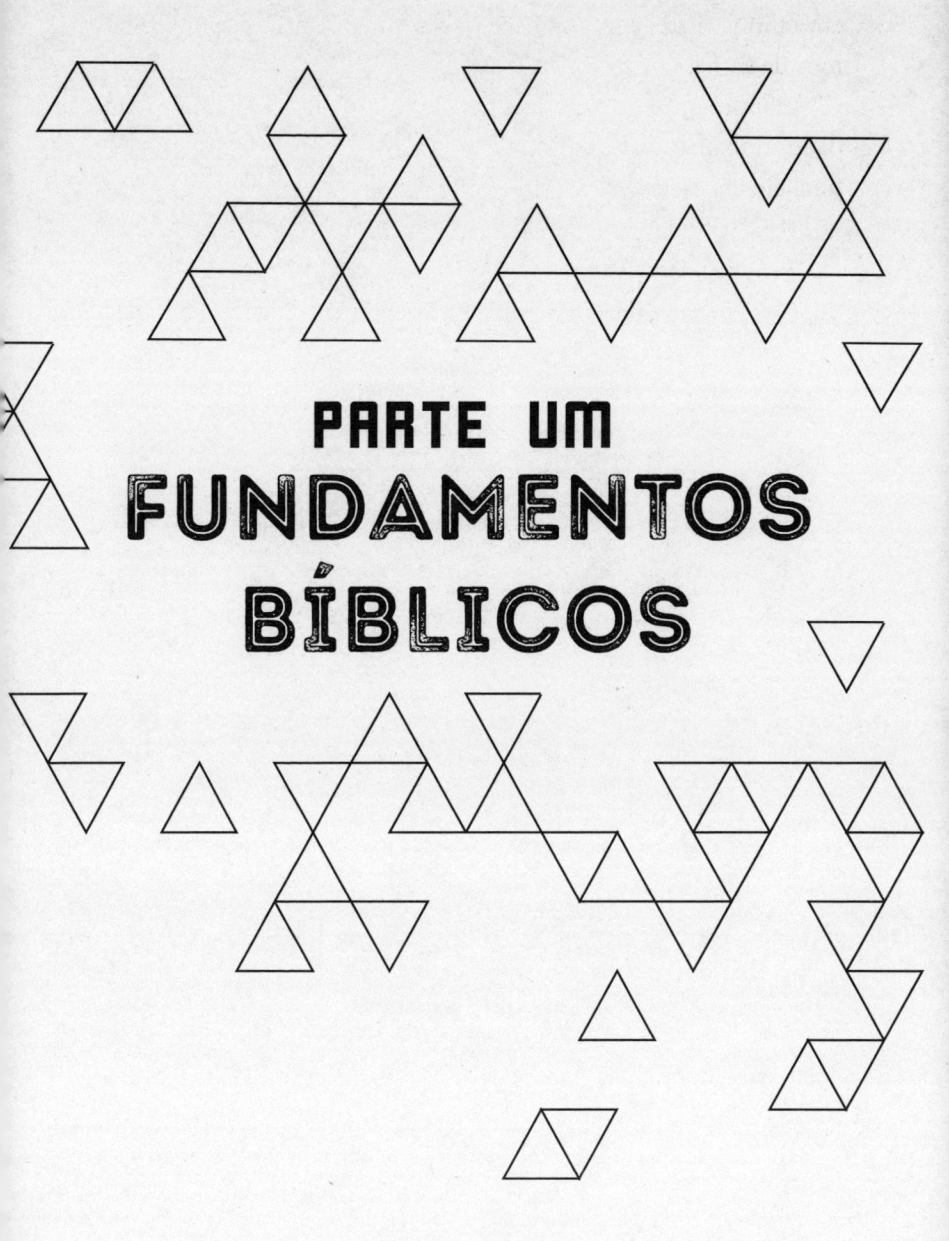

PARTE UM
FUNDAMENTOS BÍBLICOS

Capítulo 2

A UNIDADE DE DEUS NA BÍBLIA

> No coração da fé israelita estava o chamado Shemá: "O Senhor nosso Deus é o único Senhor". Isso afirma a singularidade e unicidade de Deus, assim como a sua identidade como o Deus de Israel. O Novo Testamento entretece Jesus no Shemá, identificando-o como Senhor sem comprometer a unicidade de Deus. Deus é um, não dividido e singular.
>
> Muitos de nós às vezes agimos como se Deus consistisse em três seres separados. Algumas pessoas separam Palavra e Espírito; outras argumentam que Deus pode ser conhecido sem Jesus. Mas Deus é um e não dividido. O Deus único e não dividido demanda amor e submissão não dividida. Adorar a Deus envolve abandonar qualquer forma de adoração de ídolos.

Certa ocasião um mestre da lei perguntou a Jesus: "Qual é o principal de todos os mandamentos?" (Marcos 12.28) Respondeu Jesus:

> O principal é: Ouve, ó Israel, o Senhor, nosso Deus, é o único Senhor! Amarás, pois, o Senhor, teu Deus, de todo o teu coração, de toda a tua alma, de todo o teu entendimento e de toda a tua força. O segundo é: Amarás o teu próximo como a ti mesmo. Não há outro mandamento maior do que estes. (Marcos 12.29-31).

Jesus começa sua resposta com uma citação de Deuteronômio 6.4. Ele aponta primeiramente, não a uma ordem ética, mas a uma declaração de fé israelita — talvez a maior declaração de fé de Israel: "Ouve, Israel, o Senhor, nosso Deus, é o único Senhor".

1. O *Shemá*: o Senhor, nosso Deus, é o único Senhor

A Singularidade De Deus

Essas palavras, após as palavras de abertura em hebraico, são conhecidas como o *Shemá*. No hebraico, ele compõe apenas quatro palavras: Iavé nosso-Deus Iavé um (a palavra "é" está implícita)[1].

A primeira coisa que o *Shemá* afirma é a singularidade de Deus. A fé israelita é frequentemente expressa em termos "henoteístas". O henoteísmo é a crença de que existem outros deuses, mas devemos adorar apenas um Deus. As nações em volta adoravam outros deuses, e Israel foi chamado para se afastar desses deuses e adorar somente a Iavé. O primeiro mandamento é colocado desta maneira: "Não terás outros deuses diante de mim" (Deuteronômio 5.7). Contudo, essa conversa sobre outros deuses é, no fim, retórica. Eles existem porque são adorados e nomeados, no entanto não existem de verdade. Só o Senhor é Deus (1 Reis 8.60). Diz o salmista: "Porque todos os deuses dos povos não passam de ídolos; o Senhor, porém, fez os céus. Glória e majestade estão diante dele, força e formosura, no seu santuário." (Salmos 96.4-5).

A história da criação em Gênesis 1 foi escrita como polêmica contra o politeísmo. As estórias da criação das nações que cercavam Israel envolviam uma multiplicidade de deuses, frequentemente brigando uns contra os outros. Porém, em Gênesis, Deus é o único agente. Somente ele está "no princípio" e só ele cria mediante a sua palavra. Só Deus deverá ser adorado porque só ele é soberano Criador.

---

1 Ver J. G. McConville, *Deuteronomy*, AOTC (Apollos, 2002, p. 140-141).

Porque assim diz o SENHOR —
que criou os céus,
o Deus que formou a terra...
Eu sou o SENHOR, e não há outro. (Isaías 45.18)

Nós anunciamos o evangelho para que destas coisas vãs vos convertais ao Deus vivo, que fez o céu, a terra, o mar e tudo o que há neles. (Atos 14.15)

O monoteísmo de Israel foi reforçado ainda mais pelas histórias dos pagãos que vieram a reconhecer Iavé como Deus verdadeiro (2 Reis 5; Daniel 2-4). Quando os filisteus trouxeram a arca para o templo de Dagom, é o ídolo de Dagom que cai diante da arca e tem de ser levantado e novamente escorado (1 Samuel 5.1-5). Diante do Deus verdadeiro, todos os outros ídolos são revelados em sua impotência.

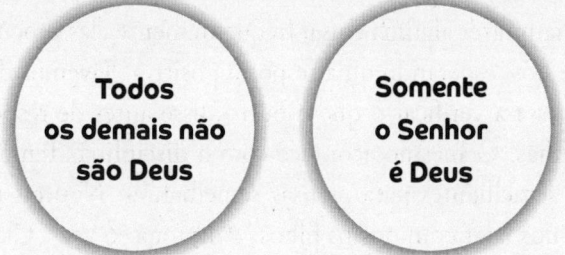

O Shemá: Deuteronômio 6.4
"Ouve, Israel, o SENHOR, nosso Deus, é o único SENHOR."

Todos os demais não são Deus

Somente o Senhor é Deus

A Unicidade De Deus

Entretanto, o *Shemá* afirma a unicidade mais que a singularidade de Deus. Conforme vimos, só o Senhor é Deus — não há outro (Deuteronômio 4.35, 39). Mas as palavras "só" e "único" não são as mesmas no hebraico, e no *Shemá* Moisés usa a palavra para "um". Moisés está afirmando a singularidade de Iavé. Iavé não é apenas único — ele é também um só. Outras religiões da época utilizavam coletivamente os nomes de divindades. Baal era um deus cananita, todavia o termo era empregado por uma variedade de divindades. Os deuses de Canaã assumiam múltiplas formas. Em contraste, como coloca Chris Wright: "Iavé não é o nome da marca de uma corporação cósmica"[2]. "Só existe um Starbucks", alguém poderá dizer, e saberíamos o que querem dizer. Starbucks é uma marca com identidade comum. Mas na realidade, existem muitas lojas de café da Starbucks — até demais para o gosto de alguns! Quando o *Shemá* diz "Iavé é um só", não está dizendo que Deus é um no mesmo sentido que existe apenas um Starbucks. Iavé não é uma franquia com muitas realidades locais. Ele é um só.

Além do mais, porque Deus é um, ele age com integridade e consistência. Não é como se fosse dúplice ou de duas caras. "Pensei que eu lhe havia dito que não podia fazer isso"; "Mas o Papai disse que tudo bem". Imagino que a maioria dos pais já teve uma troca de palavras como essa com seus filhos, provavelmente muitas vezes. Se minha esposa ou eu falássemos a nossas filhas que elas não podiam fazer alguma coisa, frequentemente elas procuravam o outro de nós, esperando uma resposta positiva. Tivemos de aprender depressa a verificar o que o outro disse antes de responder às nossas filhas. O mesmo acontece com a disciplina. Tentamos dar castigos semelhantes para ofensas semelhantes. Noutras palavras, procuramos falar com nossos filhos "com uma só voz". Claro, nem sempre conseguimos. Um de nós diz "não" enquanto o outro diz "sim". No entanto, Deus sempre fala com uma só voz. Pai, Filho e Espírito falam com uma só voz porque são um. As palavras de Deus são sempre coerentes e consistentes. Iavé tem unidade de vontade e constância de caráter.

---

2   Chris Wright, *Deuteronomy*, NIBC (Hendrickson/Paternoster, 1996, p. 96).

A Identidade De Deus

Mas ainda não terminamos com o *Shemá*. Ele não somente afirma que há um só Deus e que Deus é um. Diz ainda que esse Deus é Iavé. "Iavé nosso Deus, Iavé é um". Iavé geralmente é traduzido como "o SENHOR" em nossas traduções. É o nome que Deus revelou a Moisés. Não é um termo genérico para a divindade, mas o nome pessoal de Deus. Eu sou um homem de nome Tim. Ele é Deus chamado Iavé.

O pano de fundo para o nome "Iavé" está no encontro de Moisés com Deus na sarça ardente. Quando Moisés perguntou o nome de Deus, Deus respondeu: "EU SOU O QUE SOU. Disse mais: Assim dirás aos filhos de Israel: EU SOU me enviou a vós outros." (Êxodo 3.14). Gramaticalmente o termo "Iavé" está relacionado aos verbos "ser" e "estar" de forma a expressar a eterna soberania de Deus. Ele é "o SENHOR". Todavia Iavé é também o nome pactual de Deus. É o nome pelo qual Deus revelou a si para seu povo. É o nome que o associa à sua promessa a Abraão (Êxodo 3.15).

O Deus que é um não é conhecido por muitos nomes. Ele se revelou como Iavé. Ele é conhecido por seu envolvimento com Israel. O *Shemá* não é simplesmente um chamado para crer em um Deus. É declarar que este único Deus *se revelou* de maneira única na história de Israel.

Hoje em dia é comum as pessoas dizerem que há um Deus que é conhecido por muitos nomes. Muçulmanos o chamam Alá, budistas chamam-no Buda, hindus o chamam de Krishna ou outros nomes e os cristãos o chamam Jesus. Existe uma escola de pensamento que diz haver uma realidade divina no centro de todas as coisas. Todas as religiões apontam para essa realidade, mas os nomes que usam não têm importância. A última realidade não tem nome e no fim é impossível de se conhecer. Porém o *Shemá* recusa permitir que a religião bíblica se encaixe nesse esquema. A última realidade divina é pessoal e também nomeada. Ele é Iavé, revelado nas promessas da Bíblia e em sua história da salvação. Chris Wright diz:

> É vital ver que, em termos do Antigo Testamento, Iavé é quem define o que significa o monoteísmo, e não um conceito do monoteísmo que define como Iavé deve ser entendido... A majestosa declaração [do Shemá] de um monoteísmo definido pela pessoalidade dinâmica, carregada de história, rica em caráter, relacionada ao pacto, de "Iavé nosso Deus", mostra que o "ser" abstrato e indefinível do pluralismo religioso na verdade é um monismo isento de significado ou mensagem.[3]

2. O *Shemá* e Jesus: Há um só Deus, o Pai, e um só Senhor, Jesus Cristo

Em 1 Coríntios 8.6, Paulo diz: "Há um só Deus, o Pai, de quem são todas as coisas e para quem existimos; e um só Senhor, Jesus Cristo, pelo qual são todas as coisas, e nós também, por ele." (1 Coríntios 8.6). Quando retiramos as afirmativas "dele, por meio dele e para ele", ficamos com: "Há um só Deus, o Pai... e um só Senhor, Jesus Cristo, pelo qual são todas as coisas". É uma clara repetição do *Shemá* com novas palavras. No versículo 4 do mesmo capítulo, Paulo já havia afirmado: "não há Deus senão um só". Mas, entretecido na reafirmação que Paulo faz do *Shema* está Jesus Cristo:

> Ouve, Israel, o SENHOR, nosso Deus, é o único SENHOR (Deuteronômio 6.4).

> Há um só Deus, o Pai, de quem são todas as coisas e para quem existimos; e um só Senhor, Jesus Cristo, pelo qual são todas as coisas, e nós também, por ele. (1 Coríntios 8.6).

---

3 Chris Wright, Deuteronomy, p. 96.

A maior parte da carne que se vendia em Corinto teria sido oferecida primeiramente aos ídolos. Os templos funcionavam também como restaurantes. Imagine que você fosse convidado para uma refeição com os vizinhos. O cardápio inclui carne e você sabe que esta foi ofertada a ídolos. O que fazer? Alguns cristãos em Corinto diziam que, já que os ídolos não são nada, comer carne sacrificada a eles não seria nada, e, portanto, poderiam comer a carne que lhes ofereciam. Outros argumentavam que a idolatria envolvia o falso culto — talvez até mesmo de origem demoníaca — por isso os cristãos não deveriam se associar a tais práticas nem dar crédito a tais crenças. Ao responder a essa questão, Paulo afirma:

> No tocante à comida sacrificada a ídolos, sabemos que o ídolo, de si mesmo, nada é no mundo e que não há senão um só Deus.
>
> Porque, ainda que há também alguns que se chamem deuses, quer no céu ou sobre a terra, como há muitos deuses e muitos senhores, todavia, para nós há um só Deus, o Pai, de quem são todas as coisas e para quem existimos; e um só Senhor, Jesus Cristo, pelo qual são todas as coisas, e nós também, por ele. (1 Coríntios 8.4-6).

Paulo passa a falar de como os cristãos devem tratar com graça aqueles cuja consciência não permite que se coma alimentos sacrificados a ídolos. Mas observe que seu argumento nos versos de 4 a 6 depende do monoteísmo judaico clássico. Por essa razão é que ele emprega a declaração clássica do monoteísmo judaico. Podemos comer carne que foi ofertada a ídolos porque os ídolos não possuem existência real. Sabemos que os ídolos não têm existência real porque Deus é um só. No entanto, é nesse ponto que Paulo entretece Jesus Cristo. Jesus Cristo é esse Deus único.

> Todo o argumento deste capítulo está baseado precisamente em (Paulo) ser monoteísta no estilo judaico, contra o politeísmo

pagão; e, como pedra de toque desse argumento, ele citou a mais central e santa confissão desse monoteísmo, colocando Jesus firmemente no meio dele. Muitos estudantes paulinos tentam se esquivar dessa questão, mas isso não pode ser feito... Este versículo é uma das peças mais autenticamente revolucionárias da teologia que já se tem escrito.[4]

Dizer, como diz Paulo, que Jesus é o Senhor, é afirmar que ele é Deus, pois o único Senhor de Deuteronômio 6 é Iavé. "Paulo reescreve o *Shemá* incluindo tanto Deus quanto Jesus na singular e única identidade divina"[5]. Mas Jesus não é um segundo Deus. Ele é o único Deus junto com o Pai. A divindade de Jesus não compromete nem sua singularidade nem a unicidade de Deus. O Pai é Deus, Jesus é Deus e, conforme veremos, o Espírito é Deus, porém Deus continua sendo um (ver também Mateus 23.9; Marcos 10.8; 12.29; João 5.44; 17.3; Romanos 3.0; 16.27; 1 Coríntios 8.4, 6; Gálatas 3.0; Efésios 4.6; 1 Timóteo 1.17; 2.5; Tiago 2.19;4.12; Judas 25).

Shemá de Paulo: 1 Coríntios 8.6
"Há um só Deus, o Pai ... e um só Senhor, Jesus Cristo"

Todos os demais não são Deus

Somente o Senhor é Deus
– O Pai
– O Senhor Jesus Cristo

---

4 Tom Wright, *What Saint Paul Really Said* (Lion, 1997), p. 66–67.
5 Richard Bauckham, "Biblical Theology and the Problems of Monotheism" in Craig Bartholomew, Mary Healy, Karl Möller and Robin Parry (eds.), *Out of Egypt: Biblical Theology and Biblical Interpretation* (Zondervan/Paternoster, 2004/2005).

Uma das mais impressionantes características da cristologia paulina — a declaração de Paulo a respeito de Jesus — é esta: no exato momento em que dá os mais exaltados títulos e honras a Jesus, também enfatiza que ele, Paulo, é um monoteísta do bom estilo judaico. Diante da evidência, temos de concluir que Paulo era realmente um teólogo muito confuso, ou então que ele queria dizer, tão claramente quanto estava aberto a ele, que quando colocava Jesus e Deus na mesma categoria, não estava sugerindo que Jesus era visto como absorvido no ser do único Deus, sem nada mais. Ele convidava seus leitores a ver Jesus como quem retém sua plena identidade como o homem Jesus de Nazaré, todavia, dentro do ser interior de um só Deus, o Deus do monoteísmo judaico.[6]

Deus tem uma só essência ou natureza. Como quer que concebamos a qualidade trina de Deus, não o podemos fazer de forma a comprometer a singularidade de seu ser. O Credo Niceno diz que Jesus é "de uma substância com o Pai". Não é um Deus dividido em três partes como se fosse uma laranja. Deus é um, não dividido e singular.

Poucas pessoas hoje em dia chamam a si mesmas de "triteístas" — alguém que acredita em três deuses. Contudo, na prática, para muitos de nós, a qualidade trina de Deus encobre sua singularidade. Concebemos Pai, Filho e Espírito como seres separados. Observa Wayne Grudem: "Muitos evangélicos de hoje tendem, não intencionalmente, a visões triteístas da Trindade, reconhecendo a pessoalidade distinta do Pai, do Filho e do Espírito Santo, mas raramente cônscios da unidade de Deus como um Ser único e não dividido."[7].

Uma consequência disso é que nos encontramos enfocando uma pessoa da Trindade enquanto excluímos as outras. Por

---

6 Tom Wright, *What Saint Paul Really Said*, p. 65.
7 Wayne Grudem, *Systematic Theology* (Zondervan/IVP, 1994, p. 248).

exemplo, criamos uma dicotomia entre a Palavra e o Espírito. Jesus é a revelação do Pai e essa revelação é documentada por meio do Espírito na Bíblia. Pelo Espírito, o Verbo de Deus (Jesus) é conhecido pela palavra de Deus (a Bíblia). Contudo, hoje em dia, algumas pessoas enfatizam o Espírito enquanto outras enfatizam a palavra. Ou dizemos que precisamos de equilíbrio entre os dois. Mas essa conversa de equilíbrio presume que sejam coisas *diferentes* a ser mantidas em tensão. Na realidade, o testemunho a Jesus dos profetas e apóstolos que temos documentado na Bíblia é obra do Espírito. O Espírito revela três coisas a respeito de Cristo — coisas essas que o próprio Cristo recebe do Pai (João 16.13-15). O Espírito é "o Espírito de Cristo" (Romanos 8.9). O Espírito é o meio pelo qual Cristo está presente com seu povo. A palavra de Deus é a palavra soprada pelo Espírito (2 Timóteo 3.16). O Pai revela a si no Filho pelo Espírito. Portanto, não podemos ter um tempo de "ministração" após o sermão como se a obra do Espírito pudesse ser separada da palavra de Deus. Não podemos falar da obra do Espírito à parte da palavra de Deus, nem podemos ter a palavra de Deus à parte da obra do Espírito. Iavé fala com uma só voz.

Outra forma que essa tendência ao triteísmo toma é em relação à visão que temos das outras religiões. Alguns sugerem que os não-cristãos podem conhecer a Deus autenticamente à parte de Jesus — uma ideia às vezes chamada de "cristianismo anônimo". Porém, a unidade da Trindade significa que não podemos conhecer a Deus sem Jesus. Não podem ser divididos de forma a possibilitar que uma pessoa da Trindade seja conhecida sem que as outras também o sejam.

3. O *Shemá* entre as nações

O *Shemá* não é uma declaração abstrata de inquirição filosófica. É uma declaração desafiadora com consequências radicais. Em seu contexto original, Deuteronômio 6, ele forma a primeira metade de uma sentença que continua: "Amarás, pois, o SENHOR, teu Deus, de todo o teu coração, de toda a tua alma e de toda a tua força." (Deuteronômio 6.5). O Deus não dividido do *Shemá* deve ser amado com amor não dividido. É assim que Jesus usa o termo em resposta à pergunta do mestre da lei em Marcos 12. O mestre da lei quer priorizar sua obediência. Quer saber em que deve se concentrar: "Se eu puder cumprir o mandamento mais importante", pensa com seus botões, "talvez não precise me preocupar tanto com alguns dos outros mandamentos". Não obstante, replica Jesus: "o Senhor nosso Deus, o Senhor é um" – portanto, ninguém ou nada pode compartilhar esse amor que lhe é devido. Nosso amor pelo próximo, que Jesus amarra junto à ordem de amar a Deus, não é um segundo amor, mas uma das formas em que expressamos nosso amor a Deus. Amamos a Deus quando, em obediência a ele, amamos aqueles que foram criados à sua imagem. Nossa obediência não pode ser colocada sob termos de prioridades. Tem de ser total.

O *Shemá é uma* verdade afirmada no contexto de não-verdades competitivas. É um mandamento declarado no contexto de alianças que competem umas com as outras. Vez após vez, é reiterado no contexto das nações. Em Isaías 44.6 lemos: "Assim diz o SENHOR, Rei de Israel, seu Redentor, o SENHOR dos Exércitos: Eu sou o primeiro e eu sou o último, e além de mim não há Deus.". Em contraste, Isaías diz: "Todos os artífices de imagens de escultura são nada, e as suas coisas preferidas são de nenhum préstimo; eles mesmos são testemunhas de que elas nada veem, nem entendem, para que eles sejam confundidos." (Isaías 44.9). Um ídolo que conseguimos segurar na mão é uma mentira, pois um deus que conseguíssemos segurar não seria Deus (ver também Isaías 46.5-13).

Em Isaías 45 está escrito:

> Eu sou o SENHOR, e não há outro;
> além de mim não há Deus;
> eu te cingirei, ainda que não me conheces.
>
> Para que se saiba, até ao nascente do sol e até ao poente, que além de mim não há outro;
> eu sou o SENHOR, e não há outro." (Isaías 45.5-6).

Aqui temos mais uma vez a recolocação do *Shemá*, e novamente ele é declarado no contexto das nações. Isaías escreve sobre alguém a quem Deus prepara mesmo que não reconheça Deus. É Ciro — o rei dos persas (45.1). Após Israel ter passado setenta anos no exílio da Babilônia, Deus enviou Ciro para derrotar os babilônios e libertar seu povo. Embora Ciro não reconhecesse a Deus, ele estava sob o controle de Deus. Porque Deus é o único Deus, ele é o Deus de todas as nações. Todos os povos estão sob sua soberania — quer o reconheçam, quer não.

Como os não-deuses se tornam ídolos

Quando eu era mais jovem, fazia longas caminhadas nas montanhas. À noite, sozinho em minha barraca, por vezes ouvia barulhos ou via sombras e achava que alguma coisa ameaçadora estava ali. Em certa ocasião, isso foi verdade – encontrei uma família de ratos tentando invadir minha barraca! Mas na maioria das vezes, nada havia ali. A história do homem louco do machado ou a do furioso dono de terra eram ficções, apesar de ser bastante real o impacto sobre mim. O suor na minha testa, a tensão de minhas pernas, a aceleração do meu coração eram reais.

A Bíblia reflete uma tensão entre outras não-realidades e a realidade dos outros deuses. Outros deuses não têm existência, porém são realidade na experiência das pessoas. São nomeados e adorados por elas. Podem habitar e até mesmo controlar a mente de um ser humano. São verdadeiras ameaças ao povo de Deus.

Podem tomar forma de uma estátua, mas podem também ser dinheiro, posses, sexo e prazer — coisas criadas às quais atribuímos esperanças e devoção que deveríamos dar somente a Deus, coisas criadas como se fossem um deus (Romanos 1.25). Às vezes é projeção de uma mente pecaminosa; às vezes é construção da sociedade humana que se desviou de Deus. Advertindo os cristãos a não participarem de cultos não cristãos, Paulo diz: "Antes, digo que as coisas que eles sacrificam, é a demônios que as sacrificam e não a Deus; e eu não quero que vos torneis associados aos demônios." (1 Coríntios 10.20). Aqui não devemos pensar em estranhas práticas de ocultismo, nem em demônios com rabos em forquilha habitando os ídolos. Satanás é o pai da mentira. Ele persuade as pessoas e as sociedades a adorar aquilo que é criado. Neste sentido é que a idolatria é demoníaca. O que foi criado não é Deus nem dá verdadeiro cumprimento ou libertação do juízo de Deus.

Costumávamos viver próximos a uma pessoa que adorava o seu carro. Todo domingo pela manhã, quando caminhávamos para o encontro de nossa igreja, o víamos ajoelhado, lavando os pneus do carro com uma escova de dentes. Enquanto nos juntávamos a outras pessoas para adorar ao Deus vivo, ele se prostrava diante do seu deus. Carreira, salário, segurança financeira, casa, hobby, sexo — é possível entregar nossa vida a qualquer dessas coisas.

Portanto, nosso culto é um ato subversivo. É como cantar o hino nacional francês na França ocupada durante a Segunda Guerra Mundial. Nós relativizamos as outras afirmativas. Ao prestar nossa aliança a Deus, estamos deixando de concedê-la aos impérios e ideologias do mundo. Em nosso culto corporativo, conclamamos um ao outro *de volta* à adoração do Deus verdadeiro e a se afastar da adoração de outros deuses. Ao afirmarmos juntos em cânticos o valor de Deus, ao expressarmos juntos em oração a nossa dependência dele, ao aceitarmos um ao outro como pessoas cuja identidade se encontra em Cristo — de todas essas formas, clamamos uns aos outros para voltar à adoração do Deus verdadeiro. Resgatamos um ao outro da influência sutil das idolatrias vazias e destrutivas deste mundo. Damos nosso amor não dividido e nossa aliança ao único Deus não divisível. No dia em que Deus vier, diz o profeta Zacarias: "O Senhor será Rei sobre toda a terra; naquele dia, um só será o Senhor, e um só será o seu nome." (Zacarias 14.9). Naquele dia os deuses que não são deuses não mais existirão. Hoje eles existem realmente por meio das mentiras de Satanás e na mente de seus adeptos. Todavia naquele dia, nenhum outro deus será nomeado, nem as pessoas dirão que o Deus único possa ser adorado por meio de diferentes nomes. Ao invés disso, "ao nome de Jesus se dobre todo joelho, nos céus, na terra e debaixo da terra, e toda língua confesse que Jesus Cristo é Senhor, para glória de Deus Pai" (Filipenses 2.10-11). O único Deus é conhecido por meio de Jesus Cristo. Paulo está citando Isaías 45. Isaías trabalha o tema do *Shemá,* não simplesmente como um argumento contra a idolatria, mas como a esperança das nações e promessa da glória final de Deus.

> Olhai para mim e sede salvos, vós, todos os limites da terra; porque eu sou Deus, e não há outro. Por mim mesmo tenho jurado; da minha boca saiu o que é justo, e a minha palavra não tornará atrás. Diante de mim se dobrará todo joelho, e jurará toda língua (Isaías 45.22-23).

A idolatria está por trás de todo nosso comportamento pecaminoso
Tal mensagem é tão relevante hoje como sempre foi. Hoje poucos de nós nos curvamos a ídolos em forma de estátuas. Contudo, conforme disse Calvino, nossos corações são "fábricas de fazer ídolos". Ezequiel afirma que o problema verdadeiro é dos "ídolos do coração" (Ezequiel 14.1-11). Em Romanos, Paulo diz:

Por isso, Deus entregou tais homens à imundícia, pelas concupiscências de seu próprio coração, para desonrarem o seu corpo entre si; pois eles mudaram a verdade de Deus em mentira, adorando e servindo a criatura em lugar do Criador, o qual é bendito eternamente. Amém. (Romanos 1.24-25)

Paulo passa a dar uma lista de comportamentos corruptos e destrutivos. É isso que vemos em nossa vida e na vida das outras pessoas — vemos comportamentos idólatras. Porém, Paulo diz que tais comportamentos provêm das "concupiscências do coração". Jesus diz a mesma coisa ao afirmar que nossos atos maus vêm de dentro, do coração (Marcos 7.21-23). Se eu perco a calma e estouro, poderei dizer que fui provocado. Na verdade, posso ter sido provocado, mas a minha ira veio de dentro do coração. Às vezes quando meus filhos desobedecem, reajo com disciplina calma e bem medida. Mas há vezes em que "perco as estribeiras". Será que estouro porque meus filhos são maus? Num certo sentido, sim. No entanto isso não explica por que perco a calma em vez de responder calmamente. A verdade é que perco meu controle porque meus filhos estão atrapalhando meus planos de ficar quieto, sentado, ou de chegar na hora certa a algum lugar. Quero estar no controle. Quero ser *deus* de minha própria vida. Se os filhos atrapalham, perco o controle. São os desejos pecaminosos do meu coração que fazem com que eu reaja com ira ao invés de paciência. Se alguma provação em nossa vida nos faz pecar, não podemos culpar a Deus, diz Tiago. O comportamento pecaminoso surge quando nossas reações são governadas por nossos desejos interiores (Tiago 1.12-15). Mas, diz Paulo em Romanos, esses desejos pecaminosos do coração resultam da troca da verdade sobre Deus por uma mentira, da troca do culto a Deus por ídolos. A idolatria e as mentiras sobre Deus levam a desejos pecaminosos, que conduzem a comportamentos pecaminosos. O problema está em que muitas vezes focamos na mudança do comportamento pecaminoso por meio da autodisciplina. Contudo, se ignorarmos as idolatrias e mentiras que estão por baixo disso e dão forma ao nosso coração, o comportamento não vai estar certo (Colossenses 2.20-23).

Suponhamos que eu tenha um problema com meu temperamento explosivo. Ponha pressão sobre mim e explodo, perco as "estribeiras", perco totalmente o controle. O que você me aconselharia? Conte até dez? Morda a língua? É um bom começo, mas não vai trazer mudança duradoura em meu comportamento. Tenho de pensar no que impulsiona meu gênio forte. Talvez eu tenha necessidade de controle e um gênio estourado é como exerço controle sobre uma situação. Se for este o caso, tenho de ser relembrado de que Deus é soberano e ele reina em amor. Talvez me sinta inseguro. Se no trabalho alguém de minha equipe falha, eu me preocupo com o que os outros vão pensar de mim, e estouro. Se é esse o caso, tenho de ser lembrado de que Deus em Cristo me aceita por sua graça. Não preciso me justificar, porque Deus já me justificou. Não preciso das outras pessoas porque Deus é aquele a quem temo. Nos dois casos fiz um ídolo de mim mesmo. Quero controlar meu mundo. Quero estar por cima. Mas Deus é um só. Não existe lugar para outros deuses — especialmente um deus como eu!

A idolatria não é uma relíquia do passado. Está viva e ativa em seu coração e no meu. É o que impele a cobiça do coração e nosso comportamento destrutivo. Mas Deus é um. Ele não dará sua glória a outro. Adorar o Deus único é liberdade. Crer na verdade sobre Deus é o que nos liberta dos comportamentos destrutivos que nos escravizam (João 8.31-38). Conhecer e servir ao único Deus me libertará de meu gênio explosivo, minha insegurança, meu vício ou minha depressão. O chamado de Isaías hoje é tão relevante quanto sempre foi: "Olhai para mim e sede salvos, vós, todos os limites da terra; porque eu sou Deus, e não há outro" (Isaías 45.22).

Capítulo 3

A PLURALIDADE DE DEUS NA BÍBLIA

> Há sinais no Antigo Testamento de que o único Deus é também, em certo sentido, plural. Mas é a vinda de Jesus ilumina a natureza trinitariana de Deus. Jesus é claramente homem, porém seus atos e suas palavras, bem como o testemunho e o culto dos primeiros cristãos, mostram que ele é também divino. O Espírito é identificado como Deus; é também identificado como uma pessoa diferente do Pai e do Filho. Assim, todos os ingredientes do trinitarismo estão na Bíblia. A doutrina da Trindade foi desenvolvida como meio de resumir o que descobrimos na história da salvação.

A Bíblia não é um tratado teológico. Não se pode pesquisar sobre o "D" para descobrir a respeito de Deus. É uma história: a história da salvação. A doutrina da Trindade não tem seu início como uma declaração filosófica, mas como um modo de resumir o que descobrimos na história da salvação.

O Deus plural no Antigo Testamento

O vocábulo hebraico mais comum para "Deus" é *Elohim*. É uma forma plural. Poderia implicar plural de quantidade ou de intensidade (como as palavras "águas" e "céus"). No entanto, *Elohim* é usado com a forma singular do verbo. Deus é ambos, plural e singular. Por si só, isso não é decisivo, mas quando visto à luz de todo o testemunho bíblico, seu uso é surpreendente. Encontramos também verbos e pronomes plurais (nós, nosso) sendo usados em relação a Deus:

> Também disse Deus: Façamos o homem *à nossa imagem*, conforme a nossa semelhança (Gênesis 1.26)

> Então, disse o SENHOR Deus: Eis que o homem se tornou *como um de nós*, conhecedor do bem e do mal (Gênesis 3.22)

> O SENHOR disse: Eis que o povo é um... Vinde, *desçamos e confundamos* ali a sua linguagem, para que um não entenda a linguagem de outro. (Gênesis 11.6-7)

> Depois disto, ouvi a voz do Senhor, que dizia: A quem enviarei, e quem há de ir *por nós?* (Isaías 6.8).

O próprio Deus fala, e ao invés de dizer "eu faço" diz "façamos...". Em Gênesis 1 Deus cria, por sua palavra, e depois dirige essa Palavra (Verbo) a si mesmo. Isso sugere uma conversa *dentro de* Deus, revelando um Deus que é plural e comunal. Este plural divino tem sido interpretado como um discurso dirigido à criação ou à corte celestial, porém transmite mais do que informação — sugere colaboração. Alguns o enxergam como uma espécie de pronome de tratamento real "nós", mas isso seria anacrônico. Poderia ser uma expressão de deliberação de si mesmo, entretanto não existem paralelos disso em forma plural[1]. Henri Blocher conclui: "Deus se dirige a si mesmo, mas só pode fazer isso porque ele tem um Espírito que é um com ele, como também distinto

---

[1] Richard Bauckham, "Biblical Theology and the Problems of Monotheism" in Craig Bartholomew, Mary Healy, Karl Möller and Robin Parry (eds.), *Out of Egypt: Biblical Theology and Biblical Interpretation* (Zondervan/Paternoster, 2004/2005).

dele ao mesmo tempo. Aqui estão os primeiros vislumbres da revelação trinitariana."[2].

Vendo o Deus invisível

O Antigo Testamento é claro ao dizer que ninguém verá a Deus e viverá. No entanto, no decorrer do Antigo Testamento, as pessoas veem Deus. O anjo do Senhor é distinto de Deus. Fala de Deus como outro (Gênesis 18.14; Juízes 6.12; 13.8-9, 16). Contudo, ele é também identificado com Deus (Gênesis 16.13; Gênesis 18.1; 22.11-12; Êxodo 3.2-4; Juízes 2.1; 6.11-14). Quando Jacó luta com o anjo, percebe que lutou com o próprio Deus. "Àquele lugar chamou Jacó Peniel, pois disse: Vi a Deus face a face, e a minha vida foi salva." (Gênesis 32.30). Jacó reconhece que deveria ter morrido, porque ver a Deus é ser consumido, contudo, ele encontrou com Deus (veja também Juízes 6.22-23; 13.22-23). Moisés sentiu a mesma tensão na sarça ardente. "Moisés escondeu o rosto, porque temeu olhar para Deus" (Êxodo 3.6). Ele sabia que não poderia ver a Deus e viver, mas na verdade, ele vive. Além do mais, Deus promete: "Estarei contigo" (Êxodo 3.12). Deus é diferenciado de Deus.

A sabedoria de Deus

No Antigo Testamento, a sabedoria é vista como atributo de Deus, todavia, em Provérbios, ela ainda é personificada — um processo que continua no judaísmo intertestamental (ver Sabedoria 7.25-26 e Eclesiástico 24.1-5[3]). Em Provérbios 8.22-31, a Sabedoria preexiste ao universo. "O SENHOR me possuía no início de sua obra, antes de suas obras mais antigas. Desde a eternidade fui estabelecida, desde o princípio, antes do começo da

---

2 Blocher, *In the Beginning*, p. 84.

3 *Sabedoria* (ou *Sabedoria de Salomão*) e *Eclesiástico* (ou *Siraque*) são livros Apócrifos, datados do século II a.C.

terra" (Provérbios 8.22-23). Além do mais, ela é o agente mediante o qual Deus cria, "era seu arquiteto" (Provérbios 8.30). As alusões a Provérbios 8 no Novo Testamento (Colossenses 1.15-17; 2.3; Apocalipse 3.14) sugerem que essa personificação da Sabedoria "longe de exagerar a verdade literal, era preparo para sua plena afirmação, pois o agente da criação não era apenas uma atividade de Deus, mas o seu Filho".[4]

O Espírito de Deus

O Espírito ou Sopro de Deus é também diferenciado de Deus (Gênesis 1.2; Números 11.25; Salmo 104.30). Mas o Espírito descreve também a agência de Deus (Isaías 40.7; Zacarias 4.6). O Espírito é aquele por quem Deus capacita seu povo a agir de modo extraordinário (Gênesis 41.38; Êxodo 31.3; 35.31; Números 11.25; Deuteronômio 34.9; Isaías 11.2; 42.1; 61.1). O Espírito é sinônimo da presença de Deus (Salmo 139.7). Em dias futuros, Deus dará o seu Espírito a seu povo (Isaías 44.3; Ezequiel 36.26-27; 37.14; Joel 2.28-29). Encontramos aqui ambas: diferenciação e identificação. Novamente, "Espírito" e "Sopro" podem ser personificações metafóricas do poder ou da presença de Deus. No entanto, ao olhar com olhos trinitarianos, vemos a terceira pessoa da Trindade viva e ativa no Antigo Testamento. Podemos perguntar se há maneira melhor de dar sentido à diferenciação do Espírito e à identificação com Deus do que aquela que é provida pela doutrina da Trindade.

O *Shemá*

No capítulo anterior, vimos a confessionalidade de Israel, o Shemá:"Ouve, Israel, o Senhor, nosso Deus, é o único Senhor" (Deuteronômio 6.4). O que devemos entender das sugestões de pluralidade divina à luz dessa afirmativa sobre a unicidade de Deus? A palavra hebraica para "um", no *Shemá*, é a mesma palavra usada

---

4 Derek Kidner, *Proverbs*, TOTC, IVP, 1964, p. 79.

para um homem e sua mulher, que se tornam "uma só carne" (Gênesis 2.24). O casamento envolve uma unidade que contém duas pluralidades. Deste modo, o *Shemá* não precisa negar a pluralidade dentro de Deus. Nem deverá concluir que haja uma pluralidade de deuses. Qualquer pluralidade que houver e qualquer forma que ela tomar, ainda haverá um só Deus.

A evidência da pluralidade de Deus é marcante, mas não decisiva. Isso se torna forçoso quando a lemos de uma perspectiva trinitariana. Embora essa leitura cristã do Antigo Testamento seja a apropriada.[27] Ao passo que tenhamos de ler o Antigo Testamento em seus próprios termos e não possamos desconsiderar a intenção dos autores bíblicos, ou ainda menos ler nele o que queiramos, Jesus Cristo, a Palavra de Deus, provê a hermenêutica definitiva para o Antigo Testamento. Ele descreve a si como aquele para quem o Antigo Testamento aponta (Lucas 24.25-27, 44-47). O Antigo Testamento explana quem é Jesus e a sua vinda explana o significado do Antigo Testamento. Essa não é uma hermenêutica estranha imposta sobre o texto. O próprio Antigo Testamento espera o cumprimento e a ampliação que vai além de si na vinda do reino de Deus e de seu Messias. A vinda de Jesus é esse evento. Ele é a última revelação de Deus. Ele traz as intimações da pluralidade divina em um foco nítido. Não devemos supor que os santos do Antigo Testamento fossem trinitarianos, pois algo novo aconteceu com a encarnação do Filho e a vinda do Espírito. No entanto, podemos supor que eles tivessem indícios da pluralidade de Deus, pois as evidências estão ali, nos relatos que deixaram.

Desde os primeiros tempos, os teólogos da patrística, os medievais e os reformados identificaram as aparições divinas do Antigo Testamento com a segunda pessoa da Trindade. O papel do Filho como revelação de Deus chegou ao clímax quando ele foi implantado pelo Espírito no ventre de Maria, todavia, não começou ali. Benjamin Warfield escreve:

O Antigo Testamento se assemelha a uma câmara ricamente adornada, mas com pouca iluminação; a introdução de luz não acrescenta nada que já não estivesse ali anteriormente; mas traz uma visão mais clara de muito que ainda não se encontrava nele ou não se percebia antes. O mistério da Trindade não foi revelado no Antigo Testamento; porém, o mistério da Trindade subjaz à revelação do Antigo Testamento, e aqui e acolá quase chega a ser visto. Assim, a revelação de Deus no Antigo Testamento não é corrigida pela revelação mais plena que a segue, mas é apenas aperfeiçoada, estendida e aumentada.[5]

A humanidade de Jesus

Em anos recentes, a divindade de Cristo tem sido questionada. Talvez seja sinal de nossa centralidade humana que a humanidade de Jesus geralmente seja considerada fato. Entretanto nem sempre é esse o caso. Eu estudava o evangelho de Marcos com uma estudante chinesa que dizia: "Posso aceitar que Jesus fosse Deus, mas eu não acho que ele fora humano". A razão, ela explicou, era que um ser humano não poderia realizar os milagres que Jesus realizou. Tais sentimentos não são novos. Há sinais de que João tenha escrito num contexto em que alguns questionavam a humanidade de Jesus. João enfatizou como ele viu e tocou a Jesus (1 João 1.1). Confessar que Jesus "veio em carne" era sinal de ortodoxia (1 João 4.2). Na vida de Cristo vemos evidências de sua verdadeira humanidade. Nós o vemos, por exemplo, comendo e dormindo. Era essencial que Jesus fosse verdadeiramente humano para que nos salvasse e nos representasse diante de Deus (1 Timóteo 2.5; Hebreus 2.14-15). No entanto, resta a pergunta: é Jesus verdadeiramente Deus?

---

5 Benjamin B. Warfield, "The Biblical Doctrine of the Trinity", *Biblical and Theological Studies*, P&R, 1968, p. 30.

A divindade de Jesus

Vamos empilhar as evidências do Novo Testamento para a divindade de Cristo, e alguns leitores talvez quererão passar por cima do que aqui se seguirá. A identidade de Cristo é tão central à doutrina da Trindade, e na verdade ao evangelho cristão, que essas questões não podem ser ignoradas.

Os atos de Jesus

O que fez com que bons judeus monoteístas adorassem a Jesus como Deus? Não devemos pensar nem por um momento que isso foi uma mudança repentina. Imagine que você fosse um dos primeiros discípulos de Jesus. Não seriam apenas 20, 30 ou 40 anos de pensamentos monoteístas por trás de sua opinião. Você teria herdado séculos de fé em um só Deus correndo de volta ao *Shemá* e além dele. O monoteísmo corria fundo na religião do Antigo Testamento. Qualquer outra coisa era idolatria. Era proibido adorar uma imagem de Deus. Adorar um ser humano seria impensável.

João começa sua primeira carta dizendo que proclama o "que era desde o princípio, o que temos ouvido, o que temos visto com os nossos próprios olhos, o que contemplamos, e as nossas mãos apalparam, com respeito ao Verbo da vida". Esta declaração do Filho divino tinha sua raiz naquilo "que ouvimos, vimos, contemplamos e tocamos com as mãos" (1 João 1.1-3). Os discípulos confessaram Jesus como Deus porque o conheceram, viram e ouviram. Encontraram um homem e, ao ver o que ele fazia, foram forçados a reconhecer que ele era Deus em forma humana. Não somente isso, como também esse homem ressuscitou dos mortos para nunca mais morrer. Diz Paulo, "e foi designado Filho de Deus com poder, segundo o espírito de santidade pela ressurreição dos mortos, a saber, Jesus Cristo, nosso Senhor" (Romanos 1.4).

Considere o seguinte caso:

Logo a seguir, compeliu Jesus os discípulos a embarcar e passar adiante dele para o outro lado, enquanto ele despedia as multidões. E, despedidas as multidões, subiu ao monte, a fim de orar sozinho. Em caindo a tarde, lá estava ele, só. Entretanto, o barco já estava longe, a muitos estádios da terra, açoitado pelas ondas; porque o vento era contrário. Na quarta vigília da noite, foi Jesus ter com eles, andando por sobre o mar. E os discípulos, ao verem-no andando sobre as águas, ficaram aterrados e exclamaram: É um fantasma! E, tomados de medo, gritaram. Mas Jesus imediatamente lhes disse: Tende bom ânimo! Sou eu. Não temais! Respondendo-lhe Pedro, disse: Se és tu, Senhor, manda-me ir ter contigo, por sobre as águas. E ele disse: Vem! E Pedro, descendo do barco, andou por sobre as águas e foi ter com Jesus. Reparando, porém, na força do vento, teve medo; e, começando a submergir, gritou: Salva-me, Senhor! E, prontamente, Jesus, estendendo a mão, tomou-o e lhe disse: Homem de pequena fé, por que duvidaste? Subindo ambos para o barco, cessou o vento. E os que estavam no barco o adoraram, dizendo: Verdadeiramente és Filho de Deus!" (Mateus 14.22-33)

Existem diversos indicadores da verdadeira identidade de Jesus nessa história.

1. O primeiro e mais óbvio é a demonstração de poder sem paralelos que vemos aqui. Jesus anda sobre as águas e depois acalma uma tempestade. Muitas pessoas eram capazes de curar a outras — quem sabe ao estimular respostas psicossomáticas, talvez pela agência de um espírito. Muitas o fizeram pelo poder de Deus. Mas os milagres de Jesus são únicos. No máximo, poderíamos dizer que essas pessoas eram agentes de Deus com o poder de Deus.

2. Jesus clama: "Tenham coragem! Sou eu". As palavras "sou eu" são empregadas na versão grega do Antigo Testamento para traduzir a autodesignação de Iavé, "Eu sou", em Êxodo 3.14, e isso ecoa em Isaías (Isaías 41.4; 43.10, 25; 46.4; 51.12; 52.6). Especialmente impressionante é seu emprego em Isaías 43.10, no qual se liga à singularidade de Deus. "Vós sois as minhas testemunhas, diz o SENHOR, o meu servo a quem escolhi; para que o saibais, e me creiais, e entendais que sou eu mesmo, e que antes de mim deus nenhum se formou, e depois de mim nenhum haverá." (Isaías 43.10). Não haverá outros deuses depois de Iavé. Qualquer coisa que signifique Jesus ser divino não poderá significar que ele é um novo Deus. Ou ele é Iavé, ou não é nenhum outro Deus.
3. No Salmo 89.9 lemos sobre Deus: "Dominas a fúria do mar; quando as suas ondas se levantam, tu as amainas". Deus tem autoridade sobre o mundo natural porque ele é o seu Criador (Salmo 89.11). Assim, acalmar o mar é um ato do Deus Criador. No entanto, é exatamente esse ato que agora foi feito por Jesus de Nazaré. Novamente, a citação do salmo é colocada no contexto de uma afirmativa do monoteísmo (Salmo 89.6-8). Ninguém pode ser comparado a Iavé e ninguém pode ter igual poder. Porém agora, há um que realmente se compara e que demonstra igual poder.
4. Essas referências ao Antigo Testamento podem parecer "fazer teologia depois do evento ocorrido". No entanto as implicações daquilo que Jesus fez foram imediatamente visíveis aos discípulos que o testemunharam. "E os que estavam no barco o adoraram, dizendo: Verdadeiramente és Filho de Deus!" (Mateus 14.22-33). Eles confessam que Jesus é o Filho de Deus e o adoram — algo que nenhum judeu monoteísta faria, exceto ao próprio Deus.

As Palavras De Jesus

Ao proclamar que Jesus é o divino Filho do Pai, João aponta não somente para o que viu, como também para o que ouviu (1 João 1.1-3). As palavras de Jesus testificam sua divindade. Considere as seguintes palavras, nas quais Jesus lhes deu esta resposta:

> Em verdade, em verdade vos digo que o Filho nada pode fazer de si mesmo, senão somente aquilo que vir fazer o Pai; porque tudo o que este fizer, o Filho também semelhantemente o faz. Porque o Pai ama ao Filho, e lhe mostra tudo o que faz, e maiores obras do que estas lhe mostrará, para que vos maravilheis. Pois assim como o Pai ressuscita e vivifica os mortos, assim também o Filho vivifica aqueles a quem quer. E o Pai a ninguém julga, mas ao Filho confiou todo julgamento, a fim de que todos honrem o Filho do modo por que honram o Pai. Quem não honra o Filho não honra o Pai que o enviou. Em verdade, em verdade vos digo: quem ouve a minha palavra e crê naquele que me enviou tem a vida eterna, não entra em juízo, mas passou da morte para a vida (João 5.19-24)

Perceba:

- a identidade da vontade do Pai e do Filho
- o íntimo amor do Pai pelo Filho (veja também João 10.17; 14.31; 17.23)
- o Filho tem autoridade igual ao Pai de dar a vida e de julgar (veja também João 5.26-29; 6.40; 8.16)
- Pai e Filho deverão ser igualmente honrados
- desonrar o Filho é desonrar o Pai.

No Evangelho de João, Jesus é claramente o "Eu sou" pelo qual Iavé designa a si mesmo em Êxodo 3.14 (João 6.20, 35, 48;

8.12, 24, 28; 9.5; 10. 9, 11, 14; 11.25; 13.19; 14.6; 15.1, 5; 18.5). Em João 8.58 Jesus diz aos líderes judeus: "Em verdade, em verdade eu vos digo: antes que Abraão existisse, EU SOU!". Jesus está afirmando que é Iavé e preexiste ao seu nascimento humano. Os judeus entenderam a plena importância dessa declaração, porque imediatamente tentam apedrejá-lo por sua blasfêmia (João 8.59).

O testemunho dos apóstolos

João assim inicia seu Evangelho:

> No princípio era o Verbo, e o Verbo estava com Deus, e o Verbo era Deus. Ele estava no princípio com Deus. Todas as coisas foram feitas por intermédio dele, e, sem ele, nada do que foi feito se fez" (João 1.1-3).

João identifica Jesus com a Palavra (o Verbo) de Deus. Muita atenção tem sido dada à ideia da "palavra" ou "razão" (*logos*) na filosofia grega, mas o Verbo de Deus está firmemente fundamentado no Antigo Testamento. Deus cria e governa por sua palavra (Salmo 33.6-9; Isaías 55.10-11) e com frequência, a sua palavra é personificada (Salmo 107.20; 119.89; 147.15). João mostra o retrato de Jesus, o Verbo de Deus, como sendo divino. Ele está "no princípio". É o agente pelo qual Deus cria todas as coisas. Observe também como a Palavra é *diferenciada* de Deus ("o Verbo estava com Deus") como também *identificada* com Deus ("o Verbo era Deus"). João continua descrevendo o Verbo como vida e luz, e como se tornou carne e habitou entre nós. No versículo 17 ele leva seu prólogo a um clímax, identificando o Verbo como sendo Jesus. Em seguida descreve Jesus como o "único Deus", que singularmente torna conhecido o Pai (João 1.18). Ele ecoa a afirmativa do Antigo Testamento, de que ninguém viu Deus; agora na pessoa de Jesus, Deus pode ser visto e conhecido (ver também João 14.6-11).

Nas Epístolas, Jesus é descrito como Deus:

> Deles são os patriarcas, e também deles descende o Cristo, segundo a carne, o qual é sobre todos, Deus bendito para todo o sempre. Amém! (Romanos 9.5)

> Nele, habita, corporalmente, toda a plenitude da Divindade (Colossenses 2.9)

> ...aguardando a bendita esperança e a manifestação da glória do nosso grande Deus e Salvador Cristo Jesus (Tito 2.13)

> Mas acerca do Filho: O teu trono, ó Deus, é para todo o sempre; e: Cetro de equidade é o cetro do seu reino (Hebreus 1.8);

> ... aos que conosco obtiveram fé igualmente preciosa na justiça do nosso Deus e Salvador Jesus Cristo (2 Pedro 1.1)

> Também sabemos que o Filho de Deus é vindo e nos tem dado entendimento para reconhecermos o verdadeiro; e estamos no verdadeiro, em seu Filho, Jesus Cristo. Este é o verdadeiro Deus e a vida eterna. (1 João 5.20).

Tito 2.13 e 2 Pedro 1.1 poderiam referir ao Deus e ao Salvador como entidades distintas, no entanto a leitura mais natural é a que os enxerga como descrição dupla de uma só pessoa.

Jesus como o Filho de Deus

No Antigo Testamento, Israel é descrito como o filho de Deus (Êxodo 4.22-23; Oséias 11.1). Naquele tempo, o rei israelita era chamado de filho de Deus (2 Samuel 7.14; Salmo 2.7). No Novo Testamento, a descrição de Jesus como o Filho de Deus muitas vezes tem esse pano de fundo em vista. Não é necessariamente uma afirmação de divindade, mas de Jesus sendo o verdadeiro Israel e o prometido rei davídico (veja Marcos 1.11; Atos 13.32-33). Contudo, é no Evangelho de João que a filiação de Jesus encontra sua mais plena expressão: "E o Verbo se fez carne e habitou entre nós, cheio de graça e de verdade, e vimos a sua glória, glória como do unigênito do Pai." (João 1.14).

Aqui, a filiação de Jesus refere-se à sua relação singular com o Pai, como o Verbo de Deus preexistente. Dois versos antes, João fala sobre os crentes serem "filhos de Deus" (João 1.12), mas aqui ele distingue de maneira consciente a Jesus como sendo "o único filho vindo do Pai". Jesus não é apenas uma pessoa humana que cumpre as esperanças do Velho Testamento, nem é o padrão de como deve ser o crente fiel. Ele é aquele que veio do Pai, enviado pelo Pai: "Vim do Pai e entrei no mundo; todavia, deixo o mundo e vou para o Pai." (João 16.28). Paulo também se refere a Jesus como "o Filho de Deus" (Romanos 1.4; 2 Coríntios 1.19; Gálatas 2.20; Efésios 4.13) e "o Filho" (Romanos 1.2-3,9; 5.10; 8.3, 29, 32; 1 Coríntios 1.9; 15.28; Gálatas 1.16; 4.4, 6; Colossenses 1.13; 1 Tessalonicenses 1.10).

Em cada caso, Paulo emprega o artigo definido — *o* Filho — indicando a filiação singularmente divina de Jesus. Em Romanos 8 Paulo descreve como nos tornamos filhos de Deus (8.13-17). Mas isso só é possível porque Deus enviou "seu *próprio* Filho" (8.3, 31).

O escritor de Hebreus começa sua carta com estas palavras:

> Havendo Deus, outrora, falado, muitas vezes e de muitas maneiras, aos pais, pelos profetas, nestes últimos dias, nos falou pelo Filho, a quem constituiu herdeiro de todas as coisas, pelo qual também fez o universo. Ele, que é o resplendor da glória e a expressão exata do seu Ser, sustentando todas as coisas pela palavra do seu poder, depois de ter feito a purificação dos pecados,

assentou-se à direita da Majestade, nas alturas, tendo-se tornado tão superior aos anjos quanto herdou mais excelente nome do que eles. (Hebreus 1.1-4)

Observe:

- Jesus é descrito como Filho e herdeiro de Deus
- Jesus é o agente da criação e aquele que sustenta o universo
- Jesus é "o resplendor da glória e a expressão exata do seu ser"
- Ele compartilha a posição de honra com a "Majestade no céu"
- Ele é mais que uma criatura exaltada, pois é superior às mais exaltadas criaturas.

Jesus revela tão perfeitamente a Deus, que ele é a "expressão exata do seu ser" (Hebreus 1.3). Sua revelação é idêntica, em grau tão perfeito, ao que foi revelado, que ele é Deus. Imagine um poeta que escreve um poema. Inevitavelmente, o poeta expressa algo de si no poema. O poema nos oferece uma janela aos seus pensamentos e emoções. Agora, imagine Deus como poeta infinito e perfeito que diz uma palavra que expressa tão plenamente a si mesmo que é uma com ele. Jesus é esse Verbo eterno que revela o Pai e é idêntico ao Pai em tudo, exceto que o Filho é a revelação, enquanto o Pai é aquele que revela.

Sendo Jesus designado o Filho divino, a primeira pessoa da Trindade é designada como o Pai. Deus não é simplesmente parecido com um Pai. A primeira pessoa da Trindade é "o Pai de nosso Senhor Jesus Cristo" (Romanos 15.5-6; 2 Coríntios 1.3; 11.31; Efésios 1.3; Colossenses 1.3; 1 Pedro 1.3). Antes de Deus ser nosso Pai, ele é Pai de Jesus Cristo. Conhecemos a Deus como Pai somente por nossa união com o Filho divino.

Jesus como Iavé

Um dos mais antigos credos do cristianismo é a confissão de que "Jesus é Senhor" (Romanos 10.9; 1 Coríntios 12.1-3; Filipenses 2.9-11). No primeiro século, a palavra "Senhor" era frequentemente usada como forma de respeito aos mestres e pessoas de destaque na sociedade. Na hierarquia da sociedade romana, o supremo senhor era o imperador. Confessar Jesus como Senhor é dizer que ele é a sua autoridade máxima. Era a confissão de uma submissão que suplanta as outras fidelidades — até mesmo a fidelidade a César.

Todavia a palavra "Senhor" não era apenas um termo romano. Era também termo judaico. É a palavra usada para traduzir "Iavé" da versão grega do Antigo Testamento. Quando os primeiros cristãos confessaram Jesus como Senhor, não estavam apenas reconhecendo que ele era o verdadeiro Imperador. Estavam afirmando que ele era Iavé, o Deus de Israel. Os cristãos são descritos como aqueles que "chamam pelo nome do Senhor", em que o Senhor é claramente Jesus (Atos 9.13-14; 22.16; 1 Coríntios 1.2). Porém, isso também é um eco claro de passagens do Antigo Testamento que falam de clamar pelo nome de Iavé (Salmo 99.6; 105.1; Joel 2.32).

Quando Jesus chama a si mesmo de bom pastor, ele alude a passagens do Antigo Testamento que falam do papel de Iavé como pastor de seu povo (João 10.11; Salmo 23.1; Ezequiel 34.11-16). Da mesma forma, Jesus é descrito como noivo junto a seu povo enquanto noiva (2 Coríntios 11.2; Efésios 5.25) — uma referência ao relacionamento de Iavé com seu povo (Isaías 54.5; Oséias 2.20). É interessante notar que Jesus toma o lugar do povo de Deus em outras imagens do Antigo Testamento. Ele é a videira verdadeira, em contraste à infiel Israel (João 15.1; Isaías 5.1-7). Jesus é ambos: Iavé e o povo de Iavé. Ele é Deus-homem, que representa tanto Deus quanto a humanidade, e assim, é capaz de mediar entre os dois (1 Timóteo 2.5).

Conquanto possamos afirmar que *Jesus é Iavé*, não podemos dizer que *Iavé é Jesus*. Jesus é diferenciado de Deus Pai. Durante todo o seu ministério, Jesus ora a Deus. Quando morre, entrega seu espírito a Deus. Jesus é identificado como Deus, mas não é idêntico a Deus.

Jesus é Iavé
Iavé *não é* Jesus

Jesus como objeto de adoração

Arthur Wainwright diz que "provavelmente [Jesus] fosse reconhecido como Deus no culto antes de o ser no pensamento refletivo", embora ele conceba que não o possamos saber com certeza[6]. Certamente alguns dos mais antigos hinos cristãos contêm fortes expressões da divindade de Cristo. Embora Colossenses 1.15-20 e Filipenses 2.6-11, por exemplo, não sejam explicitamente dirigidos a Jesus como o objeto do culto, ambos envolvem fortes afirmações da divindade de Cristo. Noutras passagens o culto é dirigido a Cristo:

> O Senhor me livrará também de toda obra maligna e me levará salvo para o seu reino celestial. A ele, glória pelos séculos dos séculos. Amém! (2 Timóteo 4.18)

> Ora, o Deus da paz, que tornou a trazer dentre os mortos a Jesus, nosso Senhor, o grande Pastor das ovelhas, pelo sangue da eterna aliança, vos aperfeiçoe em todo o bem, para cumprirdes a sua vontade, operando em vós o que é agradável diante dele, por Jesus Cristo, a quem seja a glória para todo o sempre. Amém! (Hebreus 13.20-21)

---

6 Arthur W. Wainwright, *The Trinity in the New Testament*, SPCK, 1962, p. 10.

Antes, crescei na graça e no conhecimento de nosso Senhor e Salvador Jesus Cristo. A ele seja a glória, tanto agora como no dia eterno. (2 Pedro 3.18)

Digno és de tomar o livro e de abrir-lhe os selos, porque foste morto e com o teu sangue compraste para Deus os que procedem de toda tribo, língua, povo e nação e para o nosso Deus os constituíste reino e sacerdotes; e reinarão sobre a terra. (Apocalipse 5.9-10; 7.10)

Já vimos como durante sua vida na terra Jesus foi adorado (Mateus 14.33). Após sua ressurreição, Tomé confessa diante de Jesus: "Senhor meu e Deus meu!" (João 20.28). Quando Estêvão estava sendo apedrejado até a morte, ele exclama: "Senhor Jesus, recebe o meu espírito!" (Atos 7.59). E Paulo dirige sua oração a Jesus, ao Pai, ou a ambos (1 Coríntios 16.22; 2 Coríntios 12.8; 1 Tessalonicenses 3.11-12; Romanos 1.7; 1 Coríntios 1.3).

O Espírito de Deus

O Espírito Santo é referido como "o sopro", "a presença" e "o poder" de Deus. E é identificado com ambos, o Pai e o Filho. Ele é o Espírito de Deus (Romanos 8.9, 11; 2 Coríntios 3.3; 1 João 4.2) e o Espírito de Jesus (Atos 16.7; Romanos 8.9; Gálatas 4.6; Filipenses 1.19; veja também 2 Coríntios 3.17-18). Mentir para o Espírito é mentir para Deus (Atos 5.3-4). Jesus está presente com os discípulos mediante o Espírito (João 14.18, 23). O Espírito oculta a si mesmo. A sua obra é "ao Pai" (Efésios 2.17-18) e "ao Filho". Oramos por meio do Espírito ao Pai (Romanos 8.15). Ele medeia a presença de Cristo entre seu povo (João 14.16-18). E traz glória ao Filho (João 16.14).

A questão-chave da Trindade quanto ao Espírito não é se ele é Deus, mas se ele é uma pessoa distinta. Será o Espírito mais do que uma expressão de *Deus em ação* ou *Deus entre nós*? A resposta do Novo Testamento é que o Espírito possui, sim, identidade distinta (Marcos 1.12; 13.11; Lucas 4.1-2).

- Quando Jesus é batizado e o Pai fala dos céus, o Espírito desce sobre Jesus em forma de pomba (Mateus 3.16-17; Marcos 1.9-11; Lucas 3.21-22).
- O Espírito *ouve* o Pai assim como Jesus fazia (João 16.13).
- Ele *proíbe* os apóstolos de pregar na Ásia (Atos 16.6) e *adverte* Paulo sobre os sofrimentos que o aguardam (Atos 20.23).
- O Espírito tem uma "mente" (Romanos 8.27) e os cristãos devem ser dirigidos pelo Espírito (Romanos 8.14; Gálatas 5.18).
- O Espírito é também diferenciado do Pai e do Filho. Ele é enviado pelo Pai (João 14.16, 26; Gálatas 4.6) e por Jesus (João 15.26).
- Quando Jesus voltar ao Pai, o Espírito o substituirá (João 16.7).

No grego, a palavra "Espírito" é neutra. O Espírito deveria ser referido com um pronome neutro ("isto"), mas na maioria das vezes o Novo Testamento refere-se ao Espírito Santo como "ele", usando deste modo pronomes pessoais (João 14.26; 15.26; 16.8, 14). Jesus fala dele como *Paráclito* — uma palavra grega não fácil de traduzir, que combina as ideias de "advogado" e "consolador" (João 14.16, 26). A pessoalidade do Espírito está implícita naquilo que é dito a seu respeito. Paulo adverte contra "entristecer" o Espírito Santo (Efésios 4.30). É possível as pessoas falarem ou blasfemarem contra o Espírito Santo (Mateus 12.32; Marcos 3.28-29). O Espírito, conforme vimos, atua como agente distinto.

A experiência do Novo Testamento
2 Coríntios 13.14: Pai, Filho, Espírito Santo

SÓ O SENHOR É DEUS

| O Pai | O Senhor Jesus Cristo | O Espírito Santo |

Em direção a uma doutrina da Trindade

Seria errado afirmar que o Novo Testamento contém uma doutrina da Trindade da forma como hoje a concebemos. As preocupações dos escritores do Novo Testamento estavam em outra parte. Havia sinais, no entanto, de uma consciência trinitariana. A igreja primitiva teve de encontrar novas maneiras de descrever o que havia experimentado. Vemos declarações triádicas emergentes. Paulo, por exemplo, faz uma oração que se tornou comum em todas as igrejas: "A graça do Senhor Jesus Cristo, e o amor de Deus, e a comunhão do Espírito Santo sejam com todos vós." (2 Coríntios 13.14). Como comentam Ben Witherington e Laura Ice: "Paulo é, pelo menos, funcionalmente trinitariano"[7].

Encontramos outras afirmativas sobre o Pai, o Filho e o Espírito em Romanos 14.17-18; 15.16, 30; 1 Coríntios 12.4-6; 2 Coríntios 1.21-22; 3.3; Gálatas 4.4-6; Efésios 2.18; 3.14-17; Colossenses 1.3-8; 2 Tessalonicenses 2.13-14 e Tito 3.4-7. Essas afirmações *triádicas* têm base na comissão de Cristo a seus discípulos: "Ide, portanto, fazei discípulos de todas as nações, batizando-os em nome do Pai, e do Filho, e

---

7 Ben Witherington III and Laura Ice, *The Shadow of the Almighty: Father, Son and Spirit in Biblical Perspective* (Eerdmans, 2002, p. 135).

do Espírito Santo" (Mateus 28.19). Essa fórmula batismal é significativa. Paulo liga o batismo a um só Deus (Efésios 4.4-6), no entanto este Deus único é descrito no batismo como sendo as três pessoas. Na verdade, não são apenas sinais de consciência trinitariana, mas também de um emergente senso de ortodoxia trinitária. João afirma: "Todo aquele que nega o Filho, esse não tem o Pai; aquele que confessa o Filho tem igualmente o Pai" (1 João 2.23).

Certa vez, escrevi um ensaio sobre como o fato dos cristãos estarem unidos a Cristo deveria afetar nosso modo de viver. Em cima do meu trabalho meu tutor escreveu: "Calvino". Aparentemente, meu ponto de vista era semelhante ao de João Calvino, grande reformador do Século XVI. Nunca tinha lido nada escrito por Calvino, mas fui criado em círculos em que ele era respeitado. Parece que indiretamente, eu havia embebido algo de seu pensamento. Quando passei a ler Calvino, o meu entendimento de nossa união com Cristo cresceu e se aprofundou. Adquiri um vocabulário que me ajudou a compreender e a falar a respeito disso (palavras como "mortificação" e "vivificação"). Provavelmente foi algo semelhante que ocorreu com a doutrina da Trindade. Pessoas como Paulo eram trinitárias ainda que não tivessem o vocabulário, porque viviam e pensavam dentro do contexto dos atos trinitários de Deus para com o mundo. O vocabulário viria mais tarde, ajudando a entender e a falar sobre nossa crença instintiva numa Trindade. Contudo, todos os ingredientes do trinitarismo estão ali, no Novo Testamento. Podemos resumir os dados bíblicos da seguinte forma:

- Há um só Deus
- O Pai, o Filho e o Espírito são Deus
- O Pai, o Filho e o Espírito são diferenciados, em que o Pai não é o Filho nem o Espírito, nem o Filho é o Espírito.

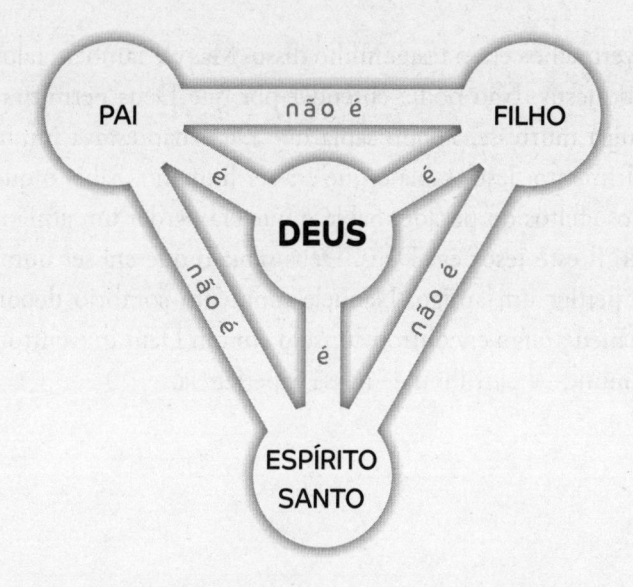

```
        PAI  ── não é ──  FILHO
           é \         / é
                DEUS
           não é /   \ não é
                  é
            ESPÍRITO
              SANTO
```

Como as gerações de cristãos que vieram mais tarde juntaram essas verdades é o assunto da segunda parte desde livro. Primeiro, examinaremos como a natureza trinitariana de Deus é supremamente revelada pela cruz.

Neste capítulo, vimos que Jesus e o Espírito são Deus. Não são simplesmente *parecidos com Deus*. Não são simplesmente representantes de Deus. São o próprio Deus. "Em Cristo", diz Paulo, "habita, corporalmente, toda a plenitude da divindade" (Colossenses 2.9-10). Jesus faz mais do que nos mostrar algo a respeito de Deus. Ele é Deus.

Eu me recordo de andar ao encontro de um amigo. Ele acabara de saber que a mulher com quem pretendia se casar tinha morrido em um acidente de carro. O que poderia lhe dizer? Não tinha a mínima ideia. Não queria apenas lançar uma série de chavões vazios. Queria falar uma palavra de conforto no evangelho. Acabou que minha tarefa foi fácil. Simplesmente escutei enquanto ele dizia a si mesmo, e também a mim, palavras de consolo no evangelho. Obviamente ele falou da profunda dor do coração. Seus olhos vermelhos eram testemunho disso. Mas ele também falou do amor de Jesus. Não podia entender por que Deus permitira que sua amiga morresse. Porém sabia que Deus não estava imune ao seu sofrimento. Jesus sabia o que era ser humano. Sabia o que era sofrer os efeitos do pecado. Sabia o que era perder um amigo. Ele chorou. E este Jesus era Deus. Deus sabia o que era ser humano, sofrer, perder um amigo. Naquele momento sombrio depois da perda, meu amigo encontrou consolo em um Deus que entrou em nosso mundo e partilhou de nossa experiência.

Capítulo 4

UNIDADE E PLURALIDADE DIANTE DA CRUZ

Marcos 15.39 certamente deve ser uma das declarações mais surpreendentes da Bíblia: "O centurião que estava em frente dele, vendo que assim expirara, disse: Verdadeiramente, este homem era o Filho de Deus!" (Marcos 15.39). O que viu o centurião? Viu a execução de um criminoso. Quais as últimas palavras que ouviu? "Deus meu, Deus meu, por que me desamparaste?" (Marcos 15.34). No entanto, ele diz: "Verdadeiramente, este homem era o Filho de Deus!".

Além disso, esse não é um comentário que se pode descartar. É o clímax do Evangelho de Marcos. Não sabemos o que levou o centurião a fazer tal declaração. Porém, podemos saber o que Marcos estava pensando. Assim começa seu Evangelho: "Princípio do evangelho de Jesus Cristo, Filho de Deus" (Marcos 1.1). Ele faz duas afirmações sobre Jesus que colocam em pauta sua agenda, seu relato da vida de Jesus. Jesus é o "Cristo" e "Filho de Deus". A primeira metade desse Evangelho chega ao clímax com a confissão de Pedro, de que Jesus é o Cristo (Marcos 8.29). Jesus passa então a ensinar a seus discípulos que espécie de Cristo ele é — o Cristo que deverá sofrer e morrer. Esse é o tema da segunda metade desse Evangelho. Os discípulos têm dificuldade para aceitar isso, quanto mais para fazer disso o modelo para suas vidas. Eles desejam o poder sem serviço e a glória sem passar vergonha.

A confissão do centurião é o clímax da segunda metade do evangelho. Ele confessa que Jesus é o Filho de Deus, mas o faz enquanto o vê morrendo. Jesus é o Cristo Filho de Deus, e a cruz é a revelação máxima de sua identidade.

No momento em que Deus está mais ausente, o centurião enxerga a presença do Deus vivo. Isto é extraordinário. Este momento em que Deus o abandona é exatamente o ponto em que o centurião reconhece a Deus. Deus é revelado por sua ausência. Martinho Lutero contrastava os teólogos da glória com os teólogos da cruz. Teólogos da glória procuram Deus na criação, nos sinais e milagres, na experiência espiritual ou na sabedoria humana. Se tal conhecimento estivesse à disposição, argumentou Lutero, conduziria ao orgulho. Deus é conhecido somente pela revelação, mas essa revelação está escondida, para que esmiúce as pretensões humanas. Deus é revelado no que é contrário. A sabedoria de Deus está escondida na loucura da cruz. Na vergonha da cruz está escondida sua glória. E pela fraqueza da cruz o poder de Deus está escondido. Se quisermos descobrir o verdadeiro caráter de Deus, temos de olhar para a cruz. O Deus revelado na cruz é trinitariano. Ele é singular e plural; um ser unido e três pessoas distintas.

1. Deus abandonado por Deus

Em seu relato sobre os dias finais da vida de Cristo, Marcos descreve como Jesus é abandonado pela humanidade. É traído com um beijo, abandonado por seus amigos e negado por Pedro. É julgado, torturado e morto pela humanidade. Todavia, neste momento Marcos revela um mistério ainda maior: "clamou Jesus em alta voz: Eloí, Eloí, lamá sabactâni? Que quer dizer: Deus meu, Deus meu, por que me desamparaste?" (Marcos 15.34). Jamais entenderemos a plena importância dessas palavras. O abandono de Jesus pela humanidade é eclipsado por seu abandono por Deus. Em seu batismo, "rasgaram-se os céus" (Marcos 1.10), mas agora, o céu está fechado. Jesus foi desamparado por Deus. O Filho é abandonado por seu Pai.

No momento da maior necessidade e dor do Filho, Deus não está ali. O Filho clama e não é ouvido. O recurso familiar, o último recurso, não está ali. O Deus que estava sempre presente, o Deus que ele agora necessitava como nunca antes precisou não estava em nenhum lugar visível. Não havia resposta ao clamor do Filho. Não havia consolo. Jesus foi deixado sem Deus, sem percepção de sua própria filiação, incapaz, pela única vez em toda sua vida, de dizer: "Aba, Pai". Foi deixado sem nenhuma percepção do amor de Deus e da operação do propósito divino. Nada havia senão aquele "*Por quê?*" procurando em vão fazer a ponte entre as trevas. Ele era pecado. Ele era sem lei, e como tal, foi banido ao buraco negro ao qual pertencem os sem lei, e de onde não pode fugir sequer um som, a não ser: "Por quê?". Essa foi a única palavra do Filho em sua agonia final, ao estender a mão ao Deus de quem tão desesperadamente precisava, mas enquanto Pecado ele não conseguia discernir e de cuja presença ele era proscrito. Não havia acordo. "Deus não poupou seu próprio Filho". Ele teve de ser tratado, não como Filho, mas como Pecado.[1]

Pai e o Filho amam um ao outro com amor perfeito por toda a eternidade. Ver Jesus é conhecer o Pai. No entanto, naquele momento estavam rompidos. A divina comunidade quebrada. O Pai e o Filho, que habitam mutuamente um no outro, são separados. O Pai experimenta a perda de seu Filho. O Filho suporta o abandono judicial de seu Pai. Jesus morre carregando todos os efeitos do pecado e toda a força da ira de Deus. Estava sozinho e abandonado. A distinção das pessoas divinas é expressa da forma mais extrema: Deus está dividido de Deus.

---

1 Donald Macleod, *A Faith to Live By*, Mentor, 1998, p. 130-131.

A possibilidade de Deus ser dividido de Deus só faz sentido se Deus for uma comunidade trinitariana. Somente se houver distinção em si, poderia Deus ser desamparado por Deus.

2. Deus unido a Deus

A cruz revela não somente as distinções dentro de Deus, como também o propósito comum da divindade: reconciliar consigo a humanidade. Quando Jesus dá seu último suspiro, lemos: "E o véu do santuário rasgou-se em duas partes, de alto a baixo" (Marcos 15.38). O templo era símbolo da presença de Deus com seu povo (ver Hebreus 9). Mas a sua estrutura física ensinava que era impossível se aproximar de Deus. Envolvia uma série de ambientes nos quais, progressivamente, somente certas pessoas tinham permissão para entrar. O lugar mais interior era o Santo dos Santos, separado do povo por uma cortina tão espessa quanto a mão de uma pessoa. Imagine um filme de sequestro com uma gangue de ladrões tentando arrombar o banco. Toda uma série de medidas de segurança os mantém longe do cofre, porém o obstáculo final é uma porta de aço impenetrável com um complexo sistema de trancas. Era assim o véu do templo. Somente o sumo sacerdote podia entrar, e isso apenas uma vez por ano, mediante o derramamento de sangue. Era uma lembrança gráfica de que pessoas pecadoras são cortadas de Deus. Porém quando Jesus morre, a cortina que separava Deus da humanidade rasgou-se ao meio. O caminho para Deus havia sido aberto. Agora ele pode ser conhecido e é possível nos aproximar dele. Separado de Deus, Jesus nos uniu a Deus. A comunidade trinitariana é uma comunidade de boas-vindas. Somos convidados a compartilhar sua vida e gozar seu amor. Jesus morreu em nosso lugar para que nós sejamos família. Enquanto o Pai e o Filho estavam sendo separados pelo abandono judicial paterno, unidos estavam em um propósito comum de salvar o povo de

Deus. Se distanciarmos as *pessoas* da Trindade uma das outras, estaremos distanciando *a obra* das pessoas divinas. Então, será um curto passo para erradamente ver ou o Pai ou o Filho como participante indisposto nos eventos do Calvário.

Erro #1: Um Pai indisposto aplacado pelo Filho
Se não mantivermos a unidade da Trindade, o Pai poderá parecer uma figura de autoridade severa, que é aplacada pelo Filho amado. Poderemos até mesmo pensar que o Pai está indisposto a perdoar sem a intervenção do Filho. Imaginamos um Pai temível e distante, e criamos em contrapartida um Filho amoroso. Contudo, assim como o Filho experimentou o abandono do Pai, o Pai experimentou a perda do Filho. Ele o entregou. Jürgen Moltmann diz: "Por ser, em sua morte, desamparado pelo Pai, o Filho sofre em seu amor. E em seu amor o Pai sofre o luto pela morte do Filho"[2]. Nossa salvação não é arrancada com relutância do Pai. Ela começa em seu amor eterno (Efésios 1.3-4): "Porque Deus amou ao mundo de tal maneira que deu o seu Filho unigênito, para que todo o que nele crê não pereça, mas tenha a vida eterna." (João 3.16). E é realizada com o preço daquilo que ele mais amou — seu próprio Filho. Segundo Donald Macleod: "Aqui estamos nos parâmetros externos da revelação, mas temos de aceitar a constante ênfase do Novo Testamento, de que o preço de nossa redenção foi carregado não só por Deus Filho, como também pelo Pai"[3].

Disse o grande teólogo puritano, John Owen: "A maior tristeza e o maior fardo que se possa lançar sobre o Pai, a maior falta de bondade para com ele, é..." Como é que você completaria a sentença? Não viver uma vida que lhe agrada? Não falar aos outros sobre Deus? Não amá-lo? Veja o que John Owen disse: "A maior tristeza e o maior fardo que se possa lançar sobre o Pai, a

---

[2] Jürgen Moltmann, *The Crucified God*, SCM, 1974, p. 245.
[3] Donald Macleod, *A Faith to Live By*, p. 131.

maior falta de bondade para com ele, *é não crer que ele o ama*".[4] Nosso Pai celestial não é um pai severo que tem de ser aplacado por Jesus. Talvez o pai humano que você teve fosse assim: ríspido, distante. Talvez você tenha se aproximado dele com hesitação ou relutância. No entanto, o Pai divino não é assim. Os atos do Filho são a efusão do amor do Pai. Tudo que Jesus fez por nós — dando sua vida, tomando sobre si o nosso pecado, abrindo caminho para o trono de Deus — tudo que o Filho fez começou no amor do Pai. Começou no eterno amor do Pai por você e por mim. John Owen continua:

> Jesus Cristo é o raio do amor do Pai, e por meio dele o amor do Pai estende a mão para baixo e nos toca. Por Jesus Cristo também vemos, experimentamos e somos conduzidos ao amor do Pai... É a vontade de Deus que ele seja sempre visto como manso, bondoso, terno, amável e imutável. É sua vontade que o vejamos como Pai, a grande fonte e reservatório de toda graça e amor. Foi isso que Cristo veio revelar... Crentes aprendem que foi a vontade e o propósito de Deus amá-los desde a eternidade em Cristo, e que toda razão para que Deus se ire contra nós e nos trate como inimigos foi retirada. O crente, sendo trazido por Cristo ao seio do Pai, repousa na plena segurança do amor de Deus e de jamais ser separado desse amor... Enquanto o Pai for visto como severo, julgador e condenatório, a alma estará cheia de medo e pavor toda vez que se aproxima dele... Mas quando Deus, que é o Pai, é visto como Pai, cheio de amor, a alma em retribuição se enche de amor a Deus.[5]

Então Deus ama seu povo enquanto estão pecando? Sim! Ele ama seu povo, mas não ama seu pecado. Será que o amor de

---

4 John Owen, *Communion with God*, abridged by R. J. K. Law, Banner, 1991, p. 13.
5 *Ibid*, p.18.

Deus muda para com eles? Não o propósito da sua vontade de amá-los, todavia a operação de seus graciosos atos e disciplinas para com eles. Ele os repreende, disciplina, esconde deles sua face, os fere, enche-os do senso de sua indignação, mas ai de nós se ele mudasse seu amor, ou retirasse de nós a sua bondade![6]

Entenda bem, por favor. Não é que a obra do Filho conduza ao amor do Pai. Não é que Jesus tenha tornado favoravelmente disposto o Pai para conosco, ganhando o seu amor. É o contrário. A obra do Filho começa no amor do Pai. Oramos a um Pai que nos amou tanto que deu seu Filho — seu Filho unigênito, seu Filho precioso, a coisa mais valiosa de todo o universo — para ganhar você, redimir você, adotar você. Novamente, as palavras de John Owen:

> Muitos santos não possuem maior fardo em suas vidas do que o fato de seus corações não deleitarem constantemente e se alegrarem em Deus. Ainda há neles uma resistência a andar mais perto de Deus... Quanto mais vemos do amor de Deus, mais nos deleitaremos nele. Tudo que aprendemos de Deus só nos assustará se não o virmos como amável e misericordioso. Mas, se o coração estiver tomado pelo amor do Pai como principal propriedade de sua natureza, não poderá deixar de ser vencido, conquistado e abraçado por ele... Portanto, firma teus pensamentos no eterno amor do Pai e verifica se teu coração não será despertado a alegrar-se nele. Senta, por um tempo, junto a esta fonte deleitosa de água viva, e encontrarás seus rios doces e felizes. Tu que fugias de Deus no passado, não conseguirás, nem por um segundo, manter-te distante dele.[7]

---

6 *Ibid*, p. 25.
7 John Owen, *Communion with God*, abridged by R. J. K. Law, Banner, 1991, p. 32-33.

Erro #2: Um Filho indisposto vitimado pelo Pai
Por outro lado, se separarmos as pessoas da obra da Trindade, podemos ver o Filho como vítima relutante da justiça do Pai. Na noite antes de sua morte, Jesus orou no Getsêmani: "Aba, Pai, tudo te é possível; passa de mim este cálice; contudo, não seja o que eu quero, e sim o que tu queres." (Marcos 14.36). Não devemos ver isso como uma submissão indisposta a uma vontade que lhe é estranha. Quando a filha de nossos amigos tinha três anos de idade, ela caiu em um rio gelado. Felizmente seus braços ficaram presos no gelo de forma que ela não submergiu por completo. Imediatamente seu pai pulou no rio e a tirou de lá. Se pudéssemos congelar o tempo antes dele pular e perguntássemos se queria saltar para dentro do rio, ele teria respondido "Sim" e "Não". Em certo nível, ele não queria entrar nas águas geladas — não havia nenhum prazer nisso! Porém, em outro nível a resposta era claramente "Sim" — seu amor paterno venceu qualquer preocupação com o desconforto pessoal, e ele pulou voluntariamente. O mesmo se deu com Jesus. Ao olhar à frente no Getsêmani, para sua separação de Deus, teria recuado disso. Se tivesse outro jeito, teria tomado outro rumo. Contudo ele foi voluntariamente para a cruz. Foi por sua vontade, devido ao amor por seu povo.

Nenhum retrato do Pai ou do Filho como participantes indispostos na cruz é verdadeiro de acordo com o relato bíblico, que afirma a unidade de Pai e Filho na salvação. O Filho faz a vontade do Pai. Suas vontades são uma só e a mesma. Paulo diz: "Deus estava em Cristo reconciliando consigo o mundo" (2 Coríntios 5.19). O Pai e o Filho estavam agindo juntos para reconciliar o mundo. "Mesmo no momento das trevas mais profundas, Deus Pai e Deus Filho agiam juntos para trazer a reconciliação com o mundo"[8]. A

---

8 Michael Jenson, "The Very Practical Doutrina of the Trinity", *The Briefing* 249, March 2001, p. 14.

sua união na cruz era mais que uma unidade de vontade. Permanece sendo uma unidade do Ser. O Deus da cruz é o Deus do *Shemá* — um, único, não dividido (Deuteronômio 6.4). A experiência da cruz não acontece com o outro. Deus não está desamparando o outro. Não está julgando o outro. Deus está desamparando a si mesmo. Está julgando a si mesmo.

> O juiz e a vítima não são dois seres diferentes. Jesus e o Pai são um (João 10.30), assim como o Senhor é o Espírito (2 Coríntios 3.17). No Calvário, Jeová condena o pecado. Amaldiçoa-o. Coloca-o para fora (Hebreus 13.12). Porém, igualmente, ele o suporta... imputa-o a si mesmo. Recebe seu salário. Ele mesmo se torna propiciação. Torna-se o resgate do pecador. Torna-se até mesmo o advogado desse pecador — Deus com Deus. Com certeza, não podemos ignorar ou obscurecer a distinção entre Deus Pai e Deus Filho. Igualmente, temos de evitar o perigo mais prevalecente de considerar Pai e Filho como seres diferentes. Em última análise, Deus expressa seu amor por nós, não por colocar outro para sofrer em nosso lugar, mas por ele mesmo tomar o nosso lugar. Ele assume o preço total de nosso perdão nele, exigindo-o dele mesmo. Ele exige o resgate; provê o resgate; e torna-se o resgate. Nisso está o amor.[9]

Em 1794, William Carey, o grande missionário na Índia, encontrou os restos de uma criança sendo comidos por formigas brancas. Essa criança tinha sido oferecida como sacrifício aos deuses. Pensavam que um bebê doente estaria sob o poder de um espírito mau. Para purgar a família da sua influência, a criança era pendurada em uma cesta por três dias. Se a criança ainda estivesse viva depois dos três dias, então eles tentariam salvá-la. No solstício do inverno na Ilha Sagar, onde o Rio

---

9 Donald Macleod, *Behold Your God*, Christian Focus, 1990, 2nd Ed. 1995, p. 184.

Ganges se encontra com o mar, as crianças eram empurradas ribanceira abaixo para o mar, onde elas se afogavam ou eram comidas pelos crocodilos. Isso era considerado um sacrifício santo que expiava os pecados da família.

Carey pesquisou tais práticas, publicou reportagens e fez pedidos ao governo. Eventualmente, o infanticídio foi declarado ilegal — fora a primeira vez que o governo britânico interferia diretamente nas práticas religiosas da Índia. Em 1804, Carey visitou a Ilha Sagar. Ao ficar em pé nas margens do rio, proclamou a história do sacrifício do próprio Deus. Deus sacrificou seu Filho por nossos pecados para que jamais precisássemos sacrificar nossos filhos. Não podemos, nem precisamos aplacar os deuses. O Deus trino fez, ele mesmo, a expiação[10].

3. Deus revela Deus

A cruz não é somente um ato de *redenção*. É também ato de *revelação*. A confissão do centurião chama nossa atenção para isso (Marcos 15.39). A cruz não trata de Deus agir fora de seu caráter. A cruz é a revelação do caráter de Deus.

A divindiade de Jesus em julgamento
Por que Jesus foi morto? A resposta a esta pergunta não é direta. É claro que Jesus morreu porque essa era a vontade de Deus. Sua morte foi o meio pelo qual Deus nos reconcilia consigo mesmo. Mas por que Jesus foi morto pelas autoridades humanas? Qual foi o seu crime? A resposta tem muitas facetas. Sua mensagem de graça divina subverteu o status da elite religiosa. Sua mensagem do reino vindouro de Deus subverteu o poder político do império. Todavia, em seu relato do julgamento de Jesus, Marcos apresenta a questão da blasfêmia. Jesus foi morto porque disse que era Deus.

---

10 Ver, de Ruth e Vishal Mangalwadi, *Carey, Christ and Cultural Transformation: The Life and Influence of William Carey*, OM, 1993, p. 14-15.

Levantando-se o sumo sacerdote, no meio, perguntou a Jesus: Nada responde ao que estes depõem contra ti? Ele, porém, guardou silêncio e nada respondeu. Tornou a interrogá-lo o sumo sacerdote e lhe disse: És tu o Cristo, o Filho do Deus Bendito? Jesus respondeu: Eu sou, e vereis o Filho do Homem assentado à direita do Todo-Poderoso e vindo com as nuvens do céu. Então, o sumo sacerdote rasgou as suas vestes e disse: Que mais necessidade temos de testemunhas?[64] Ouvistes a blasfêmia; que vos parece? E todos o julgaram réu de morte. (Marcos 14.61-64)

"O Filho do Bendito" é um caso de circunlocução judaica. Evitando usar diretamente o nome de Deus, os judeus usavam outras expressões como "o Bendito". Jesus responde com outra circunlocução em que descreve a Deus como "o Poderoso". Assim, quando o sumo sacerdote perguntou a Jesus se ele era "Filho do Deus Bendito", estava perguntando a Jesus se ele era o Filho divino. Jesus responde: "Eu sou". As palavras "eu sou" fazem alusão à descrição que Deus faz de si mesmo a Moisés como o "Eu sou", em Êxodo 3.14. Jesus combina então duas referências: Salmo 110.1 e Daniel 7.13-14. As duas passagens descrevem o conflito entre o povo de Deus e o mundo, e prometem a vindicação do povo de Deus. Ao usar tais expressões, Jesus está afirmando que este conflito contínuo agora está focado em seu julgamento e sua reivindicação de divindade. Ele está afirmando que o resultado desse julgamento não será a última palavra. Jesus será vindicado por Deus. O significado das palavras de Jesus fica bastante claro para os líderes judeus. O sumo sacerdote rasga suas vestes e a assembleia condena Jesus como blasfemador. Reconhecem que Jesus está afirmando ser Deus, porém julgam ser esta uma afirmativa falsa. A humanidade condena Jesus como blasfemador, mas Jesus reivindica que sua divindade será comprovada por Deus. Na cruz, o último veredito está na balança. Contudo, no que concerne a Marcos, o centurião faz juízo verdadeiro ao declarar que Jesus é o Filho de Deus — um juízo que antecipa a vindicação de Jesus por Deus.

1. O veredicto do Espírito: Presença

Em Hebreus 9.14 encontramos uma referência um tanto enigmática ao Espírito: "muito mais o sangue de Cristo, que, pelo Espírito eterno, a si mesmo se ofereceu sem mácula a Deus, purificará a nossa consciência de obras mortas, para servirmos ao Deus vivo!". No batismo de Jesus, o Espírito veio sobre Cristo, dando-lhe poder para o ministério. O autor de Hebreus sugere que essa concessão de poder divino continua até o clímax do ministério de Jesus, quando ele se oferece por seu povo. Na cruz, Jesus é abandonado pelo Pai, mas o Espírito está presente com ele, capacitando-o a oferecer a si mesmo ao Pai. "Este texto mostra como a obediência e o amor de Cristo pelo Pai alcançaram a perfeição em sua oferta voluntária de si sobre a cruz, e esse ato, que juntou e reexpressou essa obediência e esse amor que caracterizavam toda sua vida, era de obediência e amor realizado no poder do Espírito Santo, que foi conferido sobre ele por Deus"[11]. Cristo é soberano até mesmo em sua morte. Ele não é vítima das autoridades romanas; muito menos a vítima passiva de seu Pai. Pelo Espírito, ele é o agente da sua própria morte, oferecendo livremente a si em amor por seu povo (João 10.18). Calvino comenta: "Cristo sofreu como homem, mas para que sua morte pudesse efetuar nossa salvação ela veio mediante o poder do Espírito. O sacrifício de expiação eterna foi uma obra sobre-humana"[12].

A oração do Getsêmani, "*Aba*, Pai" (Marcos 14.36), é repetida em Romanos 8.15 e Gálatas 4.6. Essas são as únicas outras referências diretas a Deus como "*Aba*" no Novo Testamento. Em

---

11 David Coffey, Deus Trinitas: *The Doutrina of the Triune God*, OUP, 1999, p. 20.
12 João Calvino, *Hebrews and First and Second Peter* (St. Andrews Press, 1963, p. 121).

Romanos e Gálatas, temos uma oração feita pelos cristãos *por meio do Espírito*. O papel do Espírito é enfatizado. Sugere que também Jesus ofereceu a oração do Getsêmani mediante o Espírito. Enquanto os discípulos dormiam, por serem fracas suas carnes, Jesus orava porque era sustentado pelo Espírito. Pelo Espírito ele se submeteu à vontade do Pai. Assim como o Espírito capacita os crentes a seguir o caminho da cruz, do mesmo modo o Espírito capacitou Jesus a escolhê-la livremente. Sua paixão, desde o Getsêmani até seu fôlego final, foi conduzida pelo Espírito. Jürgen Moltmann diz:

> Marcos está dando uma interpretação pneumatológica à paixão de Jesus — a paixão que inicia no Getsêmani com a experiência do esconder de Deus, terminando com a experiência de desamparo por Deus sobre a cruz. O que começa com seu batismo pela operação do Espírito termina em sua paixão também mediante a operação do Espírito. O Espírito que "conduz" Jesus ao deserto está ao seu lado, sustentando-o em seu sofrimento vindo de Deus.[13]

2. O veredicto do Espírito: Ressurreição

A morte de Jesus não é a palavra final. Conforme vimos em Marcos 14, Jesus cita o Salmo 110 e Daniel 7 dizendo que será vindicado em face daqueles que negam a sua divindade. Assim foi. Em Romanos 1.4 lemos que Jesus "foi designado Filho de Deus com poder, segundo o espírito de santidade pela ressurreição dos mortos". O Espírito vindica a divindade de Jesus ressuscitando-o dos mortos (1 Timóteo 3.16). Quanto ao julgamento, o veredicto — o veredicto do mundo — é que Jesus blasfemava. Mas Deus mediante o seu Espírito derruba essa sentença no tribunal de apelação.

---

13 Jürgen Moltmann: *The Spirit of Life: A Universal Affirmation*, SCM, 1992, p. 63-64.

3. O veredicto do Espírito: Revelação
Ver a presença de Deus em sua ausência; ver a revelação de Deus na morte de um homem — isso é um ato de fé. Tamanha fé só pode ser obra de Deus em nós. Escrevendo aos Coríntios, Paulo diz:

> Porque decidi nada saber entre vós, senão a Jesus Cristo e este crucificado. E foi em fraqueza, temor e grande tremor que eu estive entre vós. A minha palavra e a minha pregação não consistiram em linguagem persuasiva de sabedoria, mas em demonstração do Espírito e de poder para que a vossa fé não se apoiasse em sabedoria humana, e sim no poder de Deus. (1 Coríntios 2.2-5).

A aceitação da mensagem de Cristo crucificado é obra do Espírito. O deus dos filósofos — tipificado pelos gregos, segundo Paulo — é conhecido pela sabedoria. O deus do povo religioso — para Paulo, tipificado pelos judeus como ele — é conhecido pelos milagres (1 Coríntios 1.22). Porém o próprio Paulo recusa pregar qualquer coisa senão "Cristo crucificado" (1 Coríntios 1.23). Deus é revelado, não pela sabedoria nem pelos milagres, mas pela humilhação da cruz. Somente a fé percebe na loucura da cruz a verdadeira sabedoria de Deus. Só a fé percebe na fraqueza da cruz o verdadeiro poder de Deus. Essa fé é obra do Espírito divino. Quando a cruz é pregada, as pessoas, pelo Espírito, confessam Jesus como Senhor. É assim que Jesus é vindicado e glorificado.

A Trindade à Trabalho

A ENCARNAÇÃO:	A CRUZ:	A RESSURREIÇÃO:
O amor do Pai	O sacrifício voluntário do Filho	O veredicto do Espírito
↓	✝	↑

* Note que os diagramas neste livro pretendem, tão somente, resumir certos aspectos da Trindade, em vez de oferecer uma explicação completa e definitiva.

Conclusão:

Precisamos da cruz para entender o sentido da Trindade
A criação pode nos apontar o "eterno poder e a natureza divina" de Deus (Romanos 1.20), contudo não revela a sua identidade trinitariana. Todas as analogias extraídas da natureza estão aquém da explanação do mistério da Trindade. Nem mesmo a Escritura revela explicitamente a Trindade — não no sentido de providenciar textos que a mostrem claramente. Em última instância, é a cruz que assegura a doutrina da Trindade. "Desamparo" é um termo interpessoal. A cruz torna possível que entendamos a Trindade como uma comunidade de pessoas em relacionamento.

Precisamos da Trindade para dar sentido à Cruz
Não entendemos a cruz sem a pluralidade de Deus. A cruz nos mostra que há distinções dentro de Deus. Deus pode ser desamparado por Deus. Nós também não podemos entender a cruz sem a unidade de Deus. Se Deus não for um, a cruz se torna ato cruel e vingativo, um Pai irado a punir um Filho indisposto, ou um Pai indisposto sendo aplacado por um Filho amoroso. Somente se Deus for *um* é que a cruz pode ser simultaneamente reconciliação e inclusão dentro da comunidade divina.

Já vimos como em Filipenses 2 Paulo cita Isaías 45.21-23, uma das declarações clássicas do monoteísmo no Antigo Testamento:

> Pois não há outro Deus, senão eu,
> Deus justo e Salvador não há além de mim
> Olhai para mim e sede salvos
> vós, todos os limites da terra;
> porque eu sou Deus, e não há outro
> Por mim mesmo tenho jurado;
> da minha boca saiu o que é justo,

e a minha palavra não tornará atrás
Diante de mim se dobrará todo joelho,
e jurará toda língua (Isaías 45.21-23).

Paulo toma esta grande declaração monoteísta e a aplica a Cristo. Cristo receberá a submissão que é devida ao único Deus, de todo joelho e toda língua. Porém em Filipenses, Paulo faz ainda outra afirmação. Diz ele que esta adoração é devida a Cristo porque "a si mesmo se humilhou, tornando-se obediente até à morte e morte de cruz" (Filipenses 2.8). Deus na pessoa de Jesus Cristo é reconhecido como Deus, não por ter feito coisas divinas nos termos das noções humanas de "Deus". Não porque agiu em poder ou se revelou numa chama de glória. Deus será reconhecido como Deus porque se humilhou, e se submeteu à morte cruel e vergonhosa da crucificação. Somente a cruz revela a liberdade radical e graciosa de Deus. Somente Deus é tão livre que pode até descontar o "ser igual a Deus" (Filipenses 2.6) e oferecer a si mesmo em amor por seu povo. Só Deus é tão gracioso a ponto de escolher livremente ser desamparado por Deus, a fim de reconciliar a si mesmo com aqueles que o rejeitaram. Nada demonstra a "qualidade de Deus" tanto quanto a impiedade da cruz.

A confissão de que Jesus é Deus declara não somente algo sobre Jesus. Proclama também algo sobre Deus. Tom Wright diz: "Falar que em algum sentido Jesus é Deus é, claramente, uma declaração surpreendente a respeito de Jesus. E também uma declaração estupenda sobre Deus"[14]. O Deus verdadeiro não é o Deus da filosofia ou da religião. Não podemos presumir como é Deus para depois perguntar se Jesus se encaixa nessa descrição. Temos de permitir que Jesus e sua cruz redefinam nossas noções sobre Deus. Deus não é algum Absoluto impessoal e último. Não é um deus deísta que olha com indiferença o mundo que criou. Não é

---

14 N. T. Wright, *Who Was Jesus?*, SPCK, 1992, p. 5.

um deus que tenha de ser aplacado por meio de deveres religiosos. Também não é um deus indiferente que indulgentemente não atenta para nossa rebeldia e para o sofrimento que isso causa. Ele é o Deus da cruz. Ele é o Deus que ofereceu a si mesmo em amor, a fim de nos reconciliar consigo. Wright conta como, em seu papel de capelão, conversava com os estudantes sobre suas crenças. Muitos o provocavam, anunciando que não acreditavam em Deus. Ele pedia então que descrevessem o "Deus" no qual não acreditavam. Geralmente descreviam um "Deus" remoto e deísta. "Eu também não creio nesse 'Deus'", ele replicava, e então passava a falar a respeito de Jesus Cristo.

PARTE DOIS
DESENVOLVIMENTOS HISTÓRICOS

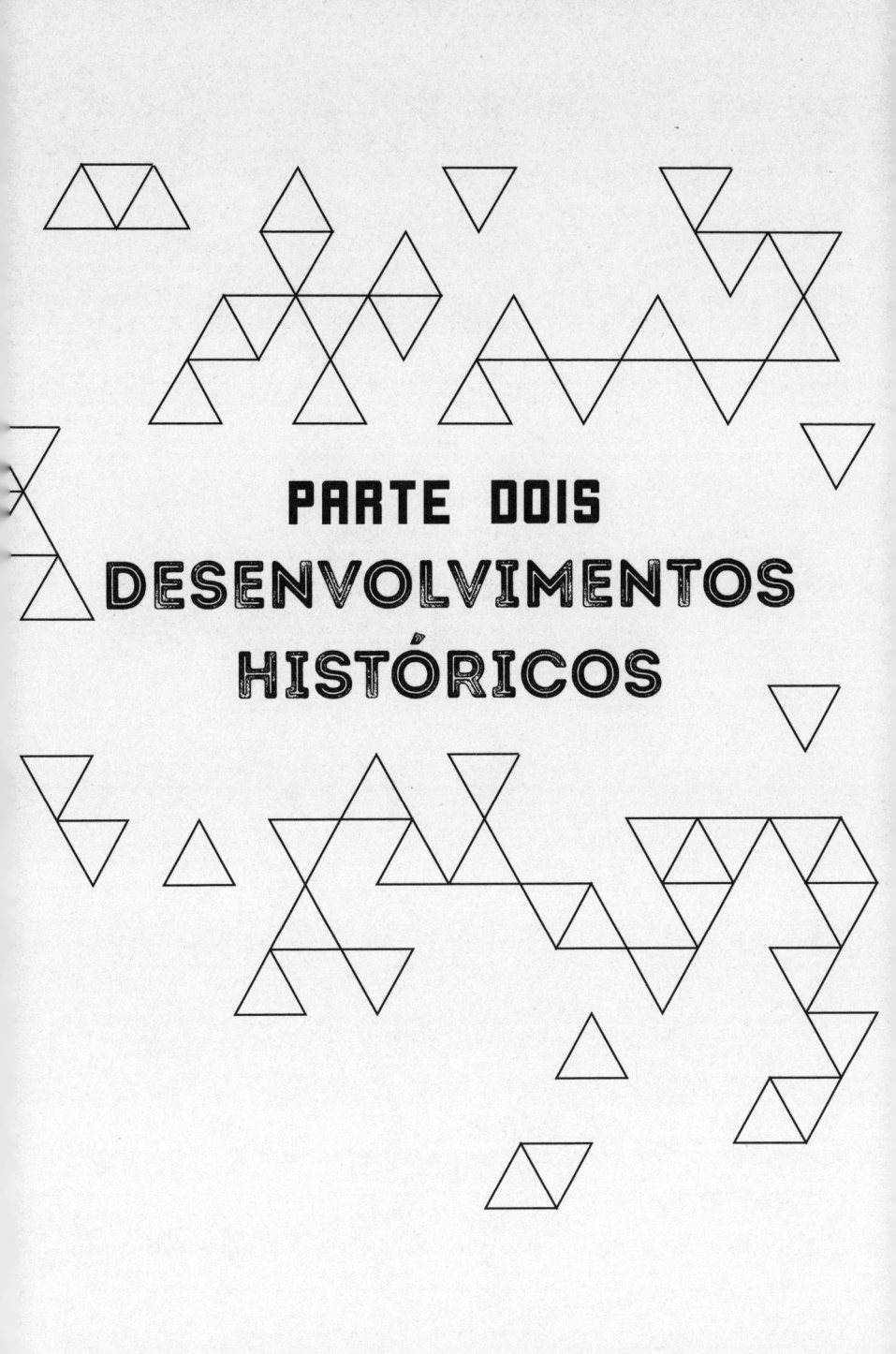

PARTE DOIS
DESENVOLVIMENTOS HISTÓRICOS

Capítulo 5

OS ATOS DE DEUS, O SER DE DEUS

Séculos II – IV

> Os primeiros teólogos cristãos pensavam na Trindade como uma expressão dos atos de Deus para com sua criação. Deus tornou-se Trindade na história. Logo, porém, os teólogos começaram a reconhecer que os atos de Deus tinham de refletir seu eterno Ser. Pai, Filho e Espírito não eram diferentes modos da atividade de Deus, mas três pessoas eternas que partilhavam de uma única substância divina.

Tenho dois amigos que estão fazendo seus trabalhos de PhD em ciências. Já gastaram alguns anos no laboratório, fazendo experimentos, observando as ocorrências, documentando os fatos e os resultados. Agora, ambos estão no ponto de escrever suas teses. Possuem grande quantidade de dados em mãos e algumas teorias se formando em suas mentes. Agora, têm de juntar tudo em um conjunto coerente de ideias.

É esse o ponto a que chegamos com a doutrina da Trindade. Foram feitas as observações, especialmente quanto à vida de Jesus e ao impacto do Espírito Santo. Os fatos foram documentados na Bíblia. Daqui em diante, precisamos dar sentido aos dados que temos. A Bíblia nos mostra que:

- Há um Deus.
- O Pai, o Filho e o Espírito são Deus.

- O Pai, o Filho e o Espírito são diferentes, em que o Pai não é o Filho nem o Espírito, nem o Filho é o Espírito.

A doutrina da Trindade é a tentativa de juntar tais dados para criar um retrato coerente de Deus, que seja fiel ao testemunho bíblico e salvaguarde as verdades centrais do evangelho. Nesse sentido, a doutrina da Trindade só é latente no Novo Testamento. Frequentemente ela se desenvolveu como resposta às ideias falsas sobre a natureza de Cristo e a pessoalidade do Espírito.

A história pode ser resumida a partir de três pares de contrastes:

- Séculos II – IV: a Trindade expressa os atos de Deus *versus* a Trindade expressa o Ser de Deus.
- Séculos V – XVI: iniciando com a qualidade trina de Deus *versus* iniciando com a unidade de Deus.
- Séculos XVII – XX: a Trindade às margens da teologia *versus* a Trindade no centro da teologia.

A Trindade expressa os atos de Deus

Os primeiros escritores cristãos, após os apóstolos, pensavam na Trindade em termos da "economia" de Deus. A palavra grega para "economia" se referia ao gerenciamento de uma casa. A imagem é do mundo como a casa de Deus e a economia de Deus é o modo como Deus "gerencia" o mundo. Sendo assim, quando os primeiros escritores cristãos falavam sobre a Trindade, não faziam especulações sobre o ser eterno de Deus. Eles descreviam a forma como Deus estava envolvido com seu mundo na história. Ireneu, escrevendo no século II, descreve o Filho e o Espírito como "as duas mãos de Deus"[1].

Por enfocarem a economia divina dessa forma, tais escritores tendiam a pensar na qualidade trina de Deus como pertencente a

---
1 Ireneu, *Contra as Heresias*, IV.

determinado período da história divina. O Filho e o Espírito vieram do Pai *no tempo*, ao invés de eternamente. Justino, o Mártir, que também escreve no século II, explicando o Cristianismo a ouvintes pagãos, descreve Jesus como o "primeiro gerado", em lugar de "eternamente gerado"[2].

Em retrospectiva, vemos que certos pontos de vista não eram o que hoje entendemos como ortodoxos. Mas temos de hesitar em rotular tais pessoas como hereges. Um herege é alguém que "pensa de modo diferente"; ou seja, alguém que rejeita a ortodoxia. No entanto, os Pais da igreja faziam teologia em uma época em que a ortodoxia estava se desenvolvendo. Devemos olhar para eles como aqueles que se colocam de pé sobre os ombros de gigantes. Foi a ameaça de falsos ensinamentos que forçou a igreja a reconhecer que os atos históricos de Deus revelam algo do seu ser eterno.

A Trindade expressa o ser de Deus

Recebemos nossa palavra "Trindade" do vocábulo latino *trinitas*, usado pelo teólogo norte-africano Tertuliano. Como outros cristãos do século II, ele ligava a Trindade à economia da salvação. Porém a refinou, desenvolvendo seu entendimento em resposta a ideias erradas de outro teólogo, de nome Praxeas. Só sabemos a respeito de Praxeas pela resposta de Tertuliano. Contudo, aparentemente aquele fora defensor antigo do "modalismo" ou "sabelianismo" (pensamento pós Sabélio, o qual desenvolveu as ideias de Praxeas). O *modalismo* sugere que o Filho e o Espírito são, simplesmente, modos diferentes de existência de Deus. Um ser divino às vezes age como Pai, às vezes como Filho, e outras como Espírito. O Pai é Deus Criador, o Filho é Deus Redentor e o Espírito é Deus Santificador. Com efeito, o Filho é uma versão do Pai. Praxeas chegou até a afirmar que foi o Pai que se encarnou no Filho e sofreu na cruz — ideia conhecida como "patripassianismo" (o sofrimento do Pai).

---

[2] Justino, *Primeira Apologia*, p. 23.

Modalismo

Para o modalismo ou sabelianismo (termo atribuído a Sabélio, teólogo do século III que promovia essa ideia) existe um Deus que possui diferentes modos de existência.

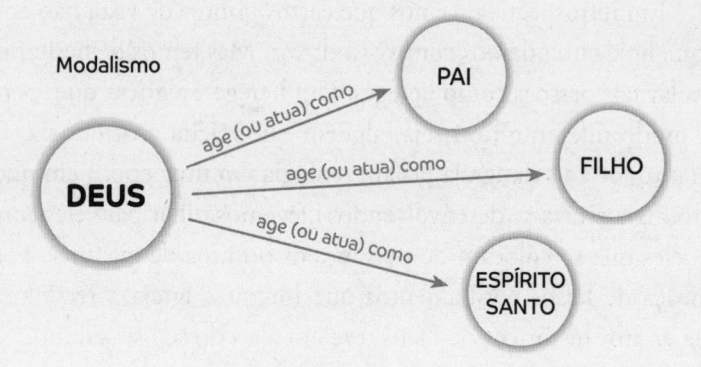

Modalismo

DEUS
- age (ou atua) como → PAI
- age (ou atua) como → FILHO
- age (ou atua) como → ESPÍRITO SANTO

Atualmente, ainda persistem metáforas comuns (mas falsas!) de que a Trindade seja como a água (H_2O), que existe em três diferentes estados — sólido, líquido e gasoso; ou como um homem que, para realizar três diferentes tarefas, usa três conjuntos diferentes de roupas — um de construtor, um de juiz e um de bombeiro.

Em resposta, Tertuliano apontou para textos do Novo Testamento que falam do Filho como uma pessoa distinta do Pai, especialmente para aqueles que descrevem um diálogo entre o Pai e o Filho. Tertuliano descreve o Filho e o Espírito como distintos do Pai, mas que compartilham sua essência. Isso significava um passo à frente. Todavia, para Tertuliano, o Pai era Deus, de modo que o mesmo não era verdadeiro para o Filho e para o Espírito. O Filho e o Espírito partilham da substância divina porque vêm do único Deus, como seus agentes. Portanto, enquanto "porções" do Pai, o Filho e o Espírito são, em certo sentido, inferiores.

Orígenes, teólogo sediado no lado oriental do império romano, de língua grega, foi um passo além, insistindo que a qualidade trina de Deus fazia parte de seu ser eterno. Quando se trata de Deus, o termo "Filho" não implica um momento de nascimento. Ao contrário, o Filho foi *eternamente* gerado. A fórmula de Orígenes das três pessoas (ou personificações) de uma única essência divina se tornou bastante influente.

Orígenes passou a "arranjar" a Trindade em ordem hierárquica. Somente o Pai é Deus em si mesmo (*autotheos*), defendia ele. O Filho e o Espírito têm uma origem — diferente do Pai, que é a origem deles. O Filho é "Deus" ou "segundo Deus", mas somente o Pai é "*o* Deus". Assim sendo, em Orígenes e na tradição oriental que ele influenciou, existe um forte senso de subordinação dentro da Trindade. O Filho e o Espírito não são Deus da mesma forma que é Deus Pai.

Contudo, ao falar do Filho como sendo eternamente gerado, Orígenes descartou qualquer modalismo. A Trindade que vemos na economia da salvação não é uma maneira temporária de Deus ser Deus. Reflete de alguma forma a Deus conforme ele é na eternidade — aquilo que se conhece como a "Trindade imanente". A Trindade não descreve apenas os atos históricos de Deus. Descreve também o Ser eterno de Deus.

Uma geração depois de Orígenes, Ário, mestre de Alexandria, no Egito, provocou um dos conflitos mais acirrados do primeiro milênio da igreja. Orígenes havia dito que o Filho era coeterno com o Pai e subordinado a ele. Ário disse que não se podia ter ambos, subordinação e coeternidade, já que a coeternidade implica igualdade. Assim, ele a descartou. Ário levava a subordinação de Orígenes a um novo estágio, colocando o Filho ao lado da criação e não do Criador. Para Ário, ser gerado do Pai significava que o Filho fora criado pelo Pai. Dessa forma, somente o Pai é o verdadeiro Deus. Ário, a fim de apoiar tal argumento, podia apontar para o trinitarianismo econômico do século II.

Os pontos de vista de Ário o levaram a ter conflitos com o Bispo de Alexandria. A resposta da a Ário foi: "sempre o Pai, sempre o Filho". Noutras palavras: o Pai sempre existiu, o Filho sempre existiu. Por fim, Ário foi excomungado em Alexandria. No entanto, a essa altura, obtinha uma audiência mais ampla e a controvérsia se tornou questão de feroz debate no império oriental, a ponto de ele próprio convocar um concílio em Niceia para resolver a questão. Desejava uma religião unificada para um império unificado.

No Concílio de Niceia, Ário foi vencido. E o Credo Niceno que dali resultou continua sendo uma importante declaração da ortodoxia cristã.

> Creio em um Deus, Pai Todo-poderoso, Criador do céu e da terra, e de todas as coisas visíveis e invisíveis; e em um Senhor Jesus Cristo, o unigênito Filho de Deus, gerado pelo Pai antes de todos os séculos, Deus de Deus, Luz da Luz, verdadeiro Deus de verdadeiro Deus, gerado não feito, de uma só substância com o Pai; pelo qual todas as coisas foram feitas; o qual por nós homens e por nossa salvação, desceu dos céus, foi feito carne pelo Espírito Santo da Virgem Maria, e foi feito homem; e foi crucificado por nós sob o poder de Pôncio Pilatos. Ele padeceu e foi sepultado; e no terceiro dia ressuscitou conforme as Escrituras; e subiu ao céu e assentou-se à direita do Pai, e de novo há de vir com glória para julgar os vivos e os mortos, e seu reino não terá fim. E no Espírito Santo, Senhor e Vivificador, que procede do Pai e do Filho, que com o Pai e o Filho conjuntamente é adorado e glorificado, que falou através dos profetas. Creio na Igreja una, universal e apostólica, reconheço um só batismo para remissão dos pecados; e aguardo a ressurreição dos mortos e da vida do mundo vindouro.

O Credo Niceno tomou um credo já existente e acrescentou a ele declarações antiarianas:

- "eternamente gerado do Pai" — Ário disse que houve um tempo antes de Cristo ser gerado.
- "verdadeiro Deus de verdadeiro Deus" — Ário disse que só o Pai era verdadeiro Deus.
- "gerado, não criado" — Ário disse que gerado significava que Cristo havia sido criado pelo Pai.
- "de um ser (*homoousios*) com o Pai"

Como termo não escritural, *homoousios* era a afirmativa mais controversa do Concílio. Significa "a mesma substância" ou "consubstancial". Isso mantinha simultaneamente a igualdade entre Pai e Filho (eles são de uma mesma substância) e a distinção entre Pai e Filho (já que não se podia falar de ser de uma substância consigo mesmo).

A controvérsia ariana não acabou em Niceia. O apoio das ideias de Ário continuava vindo à tona, e depois do Concílio, o termo *homoousios* ("mesma substância") foi em grande parte eliminado em favor de um termo mais conciliador, *homoiousios* ("substância similar"). Atanásio, o novo Bispo de Alexandria, resolutamente se opôs a tal mudança, por vezes se colocando praticamente sozinho contra ela. Ário disse não poder haver os dois: subordinação e coeternidade; e deste modo, descartou a coeternidade. Atanásio descartou a subordinação ao fazer distinção entre a "Trindade econômica" (a Trindade em relação à criação) e a "Trindade imanente" (a Trindade conforme é em si mesma). Atanásio reconhecia que o Filho era subordinado ao Pai na encarnação — o Filho faz a vontade daquele que o enviou. Porém insistia que o Filho não era subordinado a Deus em seu ser. Os atos de Deus apontam para o ser de Deus, mas não podemos reduzir o ser de Deus aos seus atos. Em sua liberdade, o Filho decide ser obediente ao Pai, e em sua liberdade o Espírito decide glorificar o Filho. Todavia isso não quer dizer que a natureza do Filho e do Espírito seja menos divina.

Enquanto a controvérsia ia com ímpeto para frente e para trás, Atanásio suportou cinco períodos de exílio, num total de dezessete anos, por sua oposição implacável ao acréscimo de uma letra grega — o 'i' em *homoiousios* — antes que finalmente vencesse. Atanásio não era apenas beligerante. Para ele, era importante a divindade de Cristo, porque só Deus podia restaurar a humanidade corrompida. Em jogo estava a nossa salvação.

Capítulo 6

COMEÇANDO COM TRÊS, COMEÇANDO COM UM

Séculos V a XVI

> No primeiro milênio depois de Cristo, desenvolveram-se duas tradições cristãs. A tradição oriental começou com a qualidade trina de Deus, vendo o Pai como fonte da Trindade, sendo que o Filho e o Espírito derivaram dele sua divindade. A tradição ocidental começava com Um Deus, definindo as três pessoas por suas relações eternas. A Reforma Protestante enfocou o papel das pessoas da Trindade na criação e salvação e não em seu ser eterno. João Calvino falava de cada uma das pessoas divinas como sendo "Deus em si mesmo", fazendo-as claramente distintas sem fazer com que uma fosse subordinada às outras.

Começando com a qualidade trina de Deus (A tradição oriental)

Durante os primeiros séculos depois de Cristo, o Cristianismo desenvolveu aos poucos duas amplas tradições, seguindo linhas culturais definidas. Na tradição do império ocidental, a principal língua era o latim, ao passo que na outra, a oriental, a língua era o grego. Cada uma tinha seu próprio estilo, suas preocupações e ênfases. O Oriente sofria as influências de sua interação com a filosofia grega, enquanto o Ocidente era influenciado pelo sistema legal de Roma. Em 330, o imperador romano Constantino mudou a capital de Roma para Bizâncio, no Oriente, dando-lhe o novo nome de Constantinopla (a Istambul dos dias atuais). Quando, em 395, o Império Romano foi formalmente dividido em dois impérios, ocidental e oriental, essas diferentes tradições assumiram formato político. Em 476, o império ocidental foi derrubado por invasores vindos do norte. O império oriental, ou Império Bizantino, continuou por cerca de mais mil anos, até ser tomado pelos turcos em 1453, estabelecendo o Império Otomano, que continuou no poder até o fim da Primeira Guerra Mundial.

Essa divisão entre leste e oeste criou duas trajetórias diferentes na teologia trinitariana. O Oriente começava com o fato de Deus ser trino, vendo o Pai como fonte da Trindade, e o Filho e o Espírito derivando dele a sua divindade. A tradição ocidental começava com o Deus Uno, definindo as três pessoas por suas relações eternas.

Tradição oriental

PAI
dá a divindade para
FILHO   ESPÍRITO SANTO

Tradição ocidental

PAI
um só Deus
FILHO   ESPÍRITO SANTO

Após Orígenes, uma grande influência sobre a tradição oriental originou-se de um grupo de teólogos conhecidos como os pais capadócios: Basílio da Cesareia, Gregório de Nazianzo e Gregório de Nissa. Os capadócios se opunham a qualquer noção de que a Trindade pudesse ser vista como uma única entidade que se expandia em três. Deus é três pessoas que compartilham uma mesma substância.

Os capadócios diziam que a diferença entre "substância" e "pessoa" era como a diferença entre humanidade e seres humanos. Minha esposa e eu somos entidades distintas, mas partilhamos uma humanidade comum. Do mesmo modo, Pai, Filho e Espírito são distintos, mas compartilham uma divindade em comum. Assim, partindo dos conceitos da filosofia grega de universais e particulares, Gregório de Nissa e Basílio da Cesareia afirmaram:

> Pedro, Tiago e João são três seres humanos, ainda que compartilhem uma única humanidade comum... Então, como comprometemos nossa fé dizendo que, por um lado, Pai, Filho e Espírito Santo possuem uma única divindade, enquanto, por outro, negamos estar falando sobre três deuses?[1]

A substância está relacionada à pessoa tal como o universal está relacionado ao particular. Na existência, cada um de nós partilha da substância comum (humanidade), no entanto é indivíduo específico devido a suas características próprias. Assim também com Deus, em que a substância se refere ao que é comum: bondade, divindade, ou outros atributos; enquanto a pessoa é vista nas características específicas de paternidade, filiação ou poder santificador[2].

Isso parece colocar em aberto aos capadócios a acusação de triteísmo (a crença na existência de três deuses). Se substância e pessoa se relacionam do mesmo modo que humanidade e indivíduo, então certamente deve haver três deuses individuais. Todavia os capadócios refutaram essa acusação. Gregório de Nissa escreve uma obra denominada *Para não pensarmos em dizer que existem três deuses*.

---

1 Citado em Alister McGrath, *Christian Theology: An Introduction*, Blackwell, 3. ed., 2001, p. 331.
2 Basílio, *Letter* 214.4.

Conquanto três homens possam seguir atividades separadamente, em Deus cada ato é comum aos três. Os capadócios argumentavam que em cada pessoa divina a essência do Deus único é plenamente manifestada. Ver Deus é ver todas as três pessoas. Desenvolvendo uma ideia de Atanásio[3], diziam que cada pessoa da Trindade compartilha a vida das outras duas de modo a interpenetrarem-se mutuamente uma na outra em uma comunidade do ser. Gosto de pensar nisso nos termos das três pessoas compartilhando o mesmo espaço — mesmo que Deus enquanto Espírito não possua espaço! Um teólogo anônimo, que veio posteriormente, usou a palavra grega *pericórese* ou "coinerência" para expressar essa ideia. A ideia de *pericórese* facilitou aos capadócios afirmarem a unidade de Deus sem comprometer a distinção das pessoas. Cada pessoa da Trindade é plena manifestação do ser divino.

Os capadócios continuaram a definir a distinção entre as pessoas divinas em termos da *causa*, que levou cada pessoa a tornar-se ser (ainda que seja difícil imaginar como a palavra "causa" possa ser aplicada a um ser eterno). O Pai tem a "qualidade de não ser gerado", o Filho tem a "qualidade de ser gerado" e o Espírito tem a "procedência". Para distinguir o Filho e o Espírito, Gregório de Nissa diz que o Espírito procede *do* Pai *por meio do* Filho. Porém os capadócios não aceitavam que o Espírito procedesse do Filho, porque então teríamos duas fontes de origem dentro de Deus. Eles reconheciam que a diferença entre *eternamente gerado* e *procedência eterna* era um mistério. Contudo, eram cuidadosos em manter essa distinção, pois de outro modo o Espírito poderia ter sido visto como um segundo Filho e mediador alternativo.

O trabalho dos pais capadócios deu forma à tradição oriental até os dias atuais. O Pai é visto como fonte primeira de Deus. A divindade do Filho e do Espírito é derivada da sua divindade, embora por um ato eterno. As diferenças entre as pessoas são definidas

---

3 Ver T. F. Torrance, *The Trinitarian Faith*, T&T Clark, 1988, p. 302-313.

por suas relações causais — o Pai é a causa do Filho e do Espírito. Desse modo, a tradição oriental tende a começar com a qualidade de Deus ser três e mover-se em direção às definições da sua unidade. Isso se reflete em sua iconografia, que frequentemente expressa a Trindade como três pessoas em conversa. Tal reflexo também se encontra na prática do batismo, em que um crente é submergido na água três vezes, correspondendo a cada pessoa da Trindade. Da perspectiva ocidental, o perigo do trinitarianismo oriental tem sido a tendência à subordinação (tornando o Filho e o Espírito inferiores ao Pai) ou até mesmo ao triteísmo.

Começando com a unicidade de Deus (A tradição ocidental)

O ensino dos pais capadócios foi traduzido para o latim e influenciou a tradição ocidental. Porém no Ocidente, o pensamento trinitariano tomou outro rumo. A teologia ocidental tende a começar com o Deus uno, para então trabalhar a definição da qualidade trina de Deus. O resultado é que o Ocidente enfrenta o perigo oposto ao que enfrentava o Oriente. A teologia ocidental tem uma tendência ao modalismo, em que a unidade de Deus obscurece a Trindade divina.

No primeiro milênio, a principal figura da teologia ocidental foi Agostinho. Como Tertuliano antes dele, Agostinho partiu da unicidade de Deus, para então dar sentido à triplicidade deste Deus único. Até aqui, o debate trinitariano tinha em consideração os relacionamentos causais entre as pessoas divinas (quem causou quem). Ao invés disso, Agostinho parte dos *relacionamentos* trinitarianos. O que define as pessoas trinitarianas não são as relações causais de geração e procedência, mas os relacionamentos amáveis com a divindade. As três pessoas são distintas umas das outras por seus diferentes relacionamentos entre si. O Pai é Pai *porque* tem um Filho. O Filho é Filho *porque* tem um Pai. O Espírito é o laço de amor entre eles.

A força da abordagem de Agostinho está no modo que mantém a plena e eterna igualdade das pessoas. O perigo é que parece despersonalizar o Espírito. O relacionamento entre pai e filho humanos não requer uma terceira pessoa. Requer amor, mas o amor é uma característica humana, não uma pessoa em si mesmo. Agostinho buscava analogias que nos ajudassem a entender em que crê a fé. Deus deixou sua impressão sobre sua humanidade, argumentava Agostinho, e o ponto alto da humanidade é a mente humana, portanto, é ali que procura analogias. A mente é constituída de memória, entendimento e vontade. Essas três faculdades são distintas, mas juntas formam uma mente de maneira tal que uma faculdade não pode existir sem as outras. Não se pode ter uma vontade sem entendimento e memória.

Visão de Agostinho

O Pai
(porque tem um Filho)

o Espírito
(o laço do amor)

o Filho
(porque tem um Pai)

Essas "analogias psicológicas" figuram de modo proeminente na discussão da Trindade feita por Agostinho, embora ele reconheça suas limitações.

No Século XII, as ideias de Agostinho foram desenvolvidas por Ricardo de São Vítor. Do mesmo modo que seu antecessor, Ricardo via Deus como suprema expressão de amor. Não obstante, enquanto o foco de Agostinho na mente humana dava ao seu trinitarianismo uma inclinação individualista, Ricardo o via como uma comunidade de pessoas inter-relacionadas, unidas em amor. O amor infinito de Deus deve sempre ter um objeto infinito. Noutras palavras, Deus não podia ser amor na eternidade a não ser que tivesse algo para amar, a não ser que houvesse pessoas que amassem umas as outras. O amor tem de ter uma terceira parte, ou será autoindulgente, argumentava Ricardo. O verdadeiro amor deseja que o ser amado seja amado por outro.

Ricardo de São Vítor

```
         PAI
        ↗   ↘
   Um Deus
   A comunidade
   de amor
   ↙           ↘
FILHO  ←→  ESPÍRITO
            SANTO
```

Então o Pai e Filho se regozijam em compartilhar seu amor com o outro — o Espírito Santo[4]. Ricardo foi além ao ver a Trindade como modelo da sociedade humana. Esse assim chamado modelo social da Trindade recebeu interesse renovado em anos recentes enquanto referência para, em nossa comunidade cada vez mais pluralista, manter juntas a unidade e a diversidade.

Essa tendência da tradição ocidental, de começar com Deus e somente então tratar da pluralidade da Trindade, atinge sua forma mais plena no influente teólogo medieval Tomás de Aquino. *Summa Contra Gentiles* (Suma Contra os Pagãos) é uma espécie de manual missionário. Tendo em mente um diálogo com descrentes,

---

[4] Para um desenvolvimento moderno dessa ideia, ver, de David Coffey, *Deus Trinitas: The Doctrine of the Triune God*, OUP, 1999.

Aquino devota os primeiros três capítulos ao que pode ser defendido com base somente na razão e na filosofia. Usando a razão dessa forma, Aquino procura estabelecer a existência de Deus, seus atributos, a criação, providência e predestinação. A Trindade, porém, é deixada (junto com a encarnação, os sacramentos e a ressurreição) para o livro quatro, que trata de doutrinas que só podem ser conhecidas mediante a revelação. A razão, dizia Tomás de Aquino, pode demonstrar a unidade da essência de Deus, mas não uma distinção das pessoas.

A abordagem de Aquino teve enorme impacto sobre a tradição ocidental. Falava do Deus único e a seguir, tendo estabelecido a unidade de Deus, tratava da triunidade divina. Tipicamente, as teologias sistemáticas ocidentais subsequentes têm seguido este padrão, falando da unidade de Deus, então de seus atributos, para somente depois tratar da Trindade. O resultado é que a Trindade tem sido muitas vezes considerada uma doutrina secundária, enquanto a unicidade de Deus tem sido vista como primária e fundamental, por vezes criando um pensamento unitariano.

Oriente e Ocidente se afastam

Era o ano de 1054. O cardeal Humberto entra na catedral de Constantinopla. Em sua mão, um documento enviado pelo Papa Leão IX. Ele marcha até o altar e bate forte sobre a mesa. Ao sair, simbolicamente sacode a poeira dos pés. A igreja do Ocidente havia excomungado a igreja do Oriente. Pouco tempo depois, a igreja oriental devolve o elogio!

A partir dos séculos V e VI, as pessoas do Ocidente tinham começado a acrescentar a frase *filioque* — "vindo do Filho" — à parte do credo niceno que fala do Espírito Santo: "Cremos no Espírito Santo, o Senhor, doador de vida, que procede do Pai *e do Filho*". O credo original concordado em Niceia, em 325, tinha simplesmente afirmado crer "no Espírito Santo". O segundo concílio ecumênico de Constantinopla em 381 ampliou o Credo Niceno, acrescentando a afirmativa de que o Espírito é "o Senhor, doador da vida, que procede do Pai", mas sem referência ao Filho. *Filioque*, ao que tudo indica, foi primeiramente acrescentado em um concílio local em Toledo, no ano de 589. Com o tempo, alcançou ampla aceitação no Ocidente e foi sancionado oficialmente em 1017. Todavia, sempre foi rejeitado pela tradição oriental.

Exegeticamente, a questão girava em torno das palavras de Jesus em João 15.26: "Quando, porém, vier o Consolador, que eu vos enviarei da parte do Pai, o Espírito da verdade, que dele procede, esse dará testemunho de mim". Esse era o texto prova para a tradição oriental. O Espírito sai (procede) somente do Pai. Contudo, os teólogos ocidentais enfatizaram o envio pelo Filho. Colocavam também João 14.26 ao lado de João 15.26: "mas o Consolador, o Espírito Santo, a quem o Pai enviará em meu nome...". Lidos juntos dessa forma, argumentavam eles, fica claro que tanto o Pai quanto o Filho enviaram o Espírito. Agostinho também ressaltou João 20.22, em que Jesus sopra sobre seus discípulos, dizendo: "Recebei o Espírito Santo".

No entanto a questão ia além da interpretação da Escritura. Na tradição oriental, o Pai era a fonte da divindade, sua eterna causa e origem de seu ser divino. Dizer que o Espírito procedia do Filho era dizer que havia duas fontes na divindade, duas causas e até mesmo dois seres divinos. Eles reconheciam um sentido secundário, em que o Filho era a origem do Espírito, mas o expressavam como "*vindo do* Pai *mediante* o Filho".

No entanto, a tradição ocidental não identificava o ser divino com o Pai. Havia um só Deus subsistindo em três pessoas que compartilhavam igualmente o ser divino. A diferença entre as pessoas divinas não era definida por relações *causais* como era no Oriente, mas por relações *pessoais*. No oriente, a geração do Filho pelo Pai indicava uma causa eterna. No Ocidente, indicava um relacionamento eterno. Esse relacionamento podia ser expresso pelo princípio de não-identidade: o Filho é o Filho porque o Filho não é o Pai e não é o Espírito. Assim, era importante que o Espírito se relacionasse com os outros de forma diferente. Se o Espírito procedesse apenas do Pai, então o Filho e o Espírito não podiam ser distintos. Eles seriam como se fossem dois Filhos. Somente um procedimento duplo do Espírito, vindo do Pai *e* do Filho, podia estabelecer sua diferenciação. Sendo assim, achavam que a cláusula *filioque* fosse importante para manter as distinções entre as pessoas trinitárias. Os pais capadócios do oriente haviam reconhecido esse problema e insistido numa distinção entre "gerado" e "procedente", sem serem capazes de identificar o que envolvia essa distinção.

    Os teólogos orientais tentavam encontrar um modo satisfatório para declarar a unidade de Deus, porque seu ponto de partida fora a Trindade das pessoas. Eles localizavam a unidade de Deus no Pai como única causa do Filho e do Espírito. Enquanto isso, os teólogos ocidentais, por sua vez, tentavam encontrar um modo satisfatório de afirmar as diferenças entre as pessoas, pois seu ponto de partida era a unidade de Deus. Se igualmente derivados do Pai, o Filho e o Espírito não podiam ser réplicas um do outro como pareciam ser. Para o Oriente, a teologia ocidental continha uma tendência ao modalismo — a igualdade dos três tendia a tornar-se a mesmice dos três. Para o Ocidente, a teologia oriental envolvia a tendência à subordinação, sendo a essência de Deus associada somente ao Pai (ainda que essa tendência fosse mitigada pela ideia da *pericórese* - ver página 86).

    A disputa sobre a cláusula *filioque* foi a razão formal para o cisma entre Oriente e Ocidente em 1054, que levou à separação entre as igrejas Ortodoxa Oriental e Católica Romana. Apesar da questão ser acirradamente debatida, não se tornou cismática até o

Papa de Roma tentar impor o *filioque* sobre o Oriente. Ali foi um passo além do aceitável. Todavia, embora estivessem interessados em honrar o Papa, os cristãos orientais não aceitavam a supremacia da autoridade papal. Outro aspecto é que viam a si mesmos — com alguma justificação — como os teólogos mais sofisticados do mundo cristão. Na realidade, a separação formal de 1054 foi um evento dentro de um processo. As duas tradições haviam se afastado uma da outra já há algum tempo. Porém, o relacionamento entre elas ainda continuou depois de 1054. O abismo aumentou em 1204, quando Constantinopla, capital do império oriental, foi saqueada por cruzados ocidentais. Uma tentativa mal sucedida de acordo foi feita em Florença em 1439. A questão permaneceu não resolvida depois que o império oriental caiu com o domínio dos turcos em 1453. E somente em 1965 os dois lados rescindiram formalmente a excomunhão mútua, embora não tenham resolvido o debate *filioque*.

Oriente e Ocidente se unem: A Reforma

Em 31 de outubro de 1517, um jovem monge de nome Martinho Lutero pregou um pedaço de papel com 95 teses à porta da igreja de Wittenberg, na Alemanha. O documento atacava a preocupação da igreja com a riqueza material. O Arcebispo local fez uma queixa ao Papa, mas a oposição fez com que Lutero se tornasse ainda mais resoluto. Enfim foi excomungado em 1521. A essa altura, porém, as ideias de Lutero se espalhavam por toda a Europa. Central neste movimento estava a redescoberta de Lutero da justificação pela fé — a verdade de que somos declarados justos diante de Deus pela fé na obra de Cristo. As ações de Lutero incendiaram uma revolução teológica com grandes implicações políticas. Representaram uma volta ao Cristianismo bíblico. Muitas das verdades que hoje parecem comuns aos evangélicos foram desenvolvidas durante a Reforma.

Um dos princípios-chave da Reforma Protestante era a *sola scriptura* ("somente a Escritura"). Os reformadores diziam que a Bíblia era a única autoridade verdadeira para o crente — não o Papa, a Igreja ou a tradição. Isso significou que, embora os reformadores fossem resolutamente trinitários, eram desconfiados da linguagem extra-bíblica usada para definir a doutrina. O grande teólogo anabatista, Menno Simons, escreveu um livro sobre a Trindade chamado *Confession of the Triune God* (*Confissão do Deus Triuno*, 1550), em que procurou expor a doutrina da Trindade sem fazer referência aos credos e controvérsias do passado, por meio somente de uma exposição da Escritura. O próprio Lutero não gostava dos vocábulos "substância" e "Trindade", mas defendeu tais termos por reconhecer que os credos eram úteis para proteger da heresia as intenções da Escritura.

Muitas vezes diz-se que os reformadores deram pouca atenção à doutrina da Trindade, aceitando a tradição recebida e enfocando a atenção em outro lugar. Esse ponto de vista é, porém, desafiado por Gerald Bray:

> Os Reformadores Protestantes... tinham uma visão de Deus fundamentalmente diferente de qualquer coisa que veio antes, ou que apareceu depois. As grandes questões da teologia reformada — justificação pela fé, eleição, segurança da salvação — só podem ser propriamente entendidas tendo como fundo uma teologia trinitariana que dê a tais questões sua importância peculiar.[5]

Bray observa que Calvino, em especial, levava a doutrina da Trindade a novas direções[6]. Calvino argumentou que, se pensamos em Deus como qualquer coisa menor do que a Trindade,

---

5 Gerald Bray, *The Doctrine of God*, IVP, 1993, p. 197-198.
6 Gerald Bray, *The Doctrine of God*, p. 199-212.

cometemos idolatria. Não podemos começar, como Tomás de Aquino, com o único Deus para então acrescentar a Trindade. Na verdade, Calvino defendia que a essência de Deus tem de ser de importância secundária na teologia cristã, pois a Bíblia fala pouco a respeito. Só nos é dito sobre sua imensidade e espiritualidade — ambos atributos que, de acordo com Calvino, deveriam conter nossa imaginação e especulação.

O abismo entre a majestade de Deus e nosso pecado significa que devemos enfocar aquilo que nos é revelado das pessoas da Trindade em sua obra graciosa de criação e redenção. Em tudo que olhamos de Calvino, vemos a estrutura trinitariana na experiência cristã. Um exemplo:

> Devemos possuir uma definição correta de fé se a chamamos de conhecimento firme e certo da bondade de Deus para conosco, fundada sobre a verdade da promessa dada livremente em Cristo, sendo tanto revelada à nossa mente quanto selada em nosso coração mediante o Espírito Santo.[7]
>
> Todo aquele que, pela bondade de Deus Pai, mediante a operação do Espírito Santo, entrou em comunhão com Cristo, é separado como propriedade e possessão pessoal de Deus.[8]

Calvino defendeu que as pessoas da Trindade eram iguais umas às outras em todos os aspectos. Em sentido formal, era este o caso na tradição. O Credo Atanasiano, dos séculos IV e V, dizia que "nenhum é maior ou menor que o outro". Contudo, conforme vimos, na prática, a tradição oriental tendia a dar prioridade ao Pai como fonte da divindade, enquanto a ocidental fazia do Espírito seu vínculo.

---

7 João Calvino, *Institutas*, 3.2.7.
8 João Calvino, *Institutas*, 4.1.3.

Em contraste, Calvino dizia que cada pessoa da Trindade era "Deus em si mesmo" (*autotheos*). Pai, Filho e Espírito Santo são, cada um, Deus no mais pleno sentido. Isso contrastava com a tradição oriental, que dizia que somente o Pai era Deus em si mesmo. Contrastava também com a tendência modalista da tradição ocidental, que dizia que nenhuma das três pessoas era plenamente igual à essência divina. Calvino dizia que as três eram coiguais em sua divindade. Cada qual se distinguindo por sua relação singular com as outras duas. Deste modo, o Pai é singularmente o Pai por sua relação com o Filho. Ao dizer que cada uma das três pessoas era Deus em si mesmo, Calvino estava dizendo que as relações entre elas eram voluntárias. Esta liberdade, porém, não conduzia à anarquia, pois havia uma só vontade divina governada pelo amor de Deus.

Calvino consolida o movimento na tradição ocidental para longe da noção de causalidade. Tudo que o Filho faz tem seu início no Pai, porque tem de ser entendido com referência ao plano eterno do Pai. Porém, o Filho não é *causado* pelo Pai — os dois são Deus em si.

Calvino rejeitou a divisão de trabalho que toma o Pai como Criador, o Filho como Redentor e o Espírito como Santificador, por ser essa divisão suscetível ao modalismo. Ele argumentava que as três pessoas estavam envolvidas na criação, redenção e santificação. Usou a ideia oriental da *pericórese* (a inter-penetração e habitação mútua da natureza tríplice da Trindade dentro de cada pessoa da divindade), porém focalizou menos a vida interna de Deus e mais sua atividade trinitariana de criação e redenção do mundo. As pessoas têm papéis distintos, mas não operam separadamente. "Ao Pai", disse Calvino, "se atribui o princípio da ação, a fonte e início de todas as coisas; ao Filho, sabedoria, conselho, e ordem em ação, enquanto a energia e eficácia da ação são atribuídas ao Espírito"[9]. Isso mantinha a prioridade do Pai sem quaisquer

---

9 João Calvino, *Institutas*, 1.13.18.

implicações para o ser de Deus. Encontrar uma pessoa é conhecer as outras. Em termos bíblicos, ver Jesus é conhecer o Pai, o Espírito é o Espírito de Cristo, e assim progressivamente.

Em suas *Institutas*, Calvino cita Gregório de Nazianzo, da tradição oriental: "Não posso pensar em um sem ser rapidamente envolvido pelo esplendor dos três; nem posso discernir os três sem ser imediatamente levado ao um"[10].

---

10 Gregorio de Nazianzo, *Theological Oration*, 40.412, citado por Calvino nas *Institutas*, 1.13.17.

Capítulo 7

ÀS MARGENS, AO CENTRO

Séculos XVII - XX

> O Iluminismo, com sua ênfase no que se pode conhecer pela razão humana, tinha pouco tempo para a Trindade. Pensava em Deus como uma divindade remota ou considerava a Trindade como tendo significado marginal. No entanto, o Século XX tem visto renovado interesse na Trindade. Há considerável entusiasmo numa Trindade como modelo para a pessoalidade humana e para as interações sociais.

Durante os séculos XVIII e XIX, com o movimento Iluminista, a doutrina da Trindade enfrentou novos desafios. Pensadores desiludidos com a ortodoxia cristã começaram a separar da revelação a ideia de Deus. A fé em Deus, diziam, podia ser estabelecida em bases racionais sem a necessidade da revelação. O resultado foi a crença em um "Deus" bem diferente do Deus da Bíblia. As tendências unitaristas de tradição ocidental degeneraram em direção ao unitarianismo e ao deísmo.

A Trindade às margens da teologia

Os unitaristas negam a pluralidade de Deus. Jesus não é eternamente Deus, mas divino só no sentido de incorporar de modo supremo o significado de a humanidade ser feita à imagem de Deus. No início do Século XVIII, muitos ministros das igrejas livres se converteram a convicções unitarianas. Naquela época, tais convicções eram vistas como a última novidade da religião em uma nova era racionalista.

Os deístas vão além, acreditando em um criador que não mais intervém no mundo. No Iluminismo, procuraram desenvolver uma religião natural, na qual a razão humana interpretava os padrões do mundo, concedidos por uma divindade. A Trindade, porém, não podia ser lida pela ordem da criação. Em lugar disso, Deus era visto como um ser benevolente, mas remoto. O Cristianismo era uma fé entre outras religiões legítimas (apesar de inferiores), portanto, havia pouco interesse num entendimento distintivo de Deus.

Outro fator característico do Iluminismo foi o foco sobre a humanidade enquanto assunto próprio do estudo intelectual. Alexander Pope resumiu tal aspecto em seu ditame:

Portanto conheça-te a ti mesmo,
Não presume esquadrinhar a Deus,
O estudo certo da humanidade é o homem.

Essa abordagem centrada no ser humano levou ao surgimento das disciplinas acadêmicas da psicologia, sociologia e antropologia. Na teologia, tal abordagem criou uma relutância em estudos bíblicos que fossem além do contexto histórico dos escritos, em direção a declarações metafísicas sobre Deus. Jesus, o homem, era visto como separado do Cristo da fé. A ênfase na divindade de Cristo no Evangelho de João, por exemplo, era considerada como reflexo da fé da igreja e não da verdadeira identidade do Jesus histórico. O resultado foi que "Deus se torna uma figura mais ou menos sombria *por trás* de Jesus, ao contrário daquele que por Jesus é conhecido"[1].

O movimento romântico rejeitou essa ênfase na "fria razão", pois ela ignorava as emoções do espírito humano. Poetas como

---

[1] Colin Gunton, *The Promise of Trinitarian Theology*, T&T Clark, 1991, p. 2.

William Blake, William Wordsworth e Samuel Taylor Coleridge rejeitaram o mundo mecânico do racionalismo e da industrialização. Em vez disso, acreditavam que encontraríamos a verdade última nas sensibilidades estéticas e espirituais da humanidade. Embora o movimento romântico reagisse contra o racionalismo da época, ainda fazia parte do Iluminismo. Substituía a razão pela experiência, porém ainda estava interessado naquilo que a humanidade poderia saber por si, sem a intervenção da revelação.

O principal representante do Romantismo na teologia do século XIX foi Friedrich Schleiermacher (1768–1834) — teólogo conhecido como o pai do liberalismo teológico. Schleiermacher queria fazer o Cristianismo crível aos seus "cultos desprezadores". Identificou um "sentimento de absoluta dependência" como experiência humana comum, argumentando que isso expressava um sentimento de dependência de Deus. Schleiermacher colocou a doutrina da Trindade como apêndice no final de sua teologia. E embora falasse de uma Trindade como "pedra de toque da doutrina cristã"[2], na realidade, foi completa sua marginalização. No máximo, pensava na Trindade como sumarização da união de Deus com a humanidade na personalidade de Jesus e do espírito da igreja. Todavia isso era apenas uma maneira de descrever uma experiência psicológica. O teólogo rejeitou qualquer dogma trinitário como sendo impossivelmente especulativo, e abandonou o entendimento dos credos em relação à Trindade, pois não aceitava as distinções eternas dentro do "Ser Supremo".

A Trindade ao centro da teologia

Certo dia de início de agosto, do ano de 1914, destaca-se como um dia negro em minha memória pessoal. Noventa e três intelectuais alemães impressionaram a opinião pública com a

---

2 Citado em Phillip W. Butin, *The Trinity*, p. 56

proclamação em apoio à política de guerra do Kaiser Wilhelm II e de seus conselheiros. Entre esses intelectuais, descobri com horror quase todos os meus professores de teologia, por quem tivera grande admiração. Desesperado por o que isso indicava quanto aos sinais dos tempos, de repente percebi que não poderia mais seguir suas éticas nem suas dogmáticas, nem seus entendimentos da Bíblia e da história. Pelo menos para mim, a teologia do Século XIX não tinha mais qualquer futuro.³

Assim escreveu um jovem pastor suíço de nome Karl Barth (1886-1968). Barth fora educado por alguns dos principais teólogos liberais de sua época. Porém sua experiência de ministério pastoral o fez extremamente cônscio das inadequações de seu treinamento. Tinha de pregar semana após semana, mas descobriu que a teologia liberal não tinha nada a dizer. O apoio de seus antigos mestres ao militarismo alemão foi a última gota para Barth, que buscou ao contrário deles a revelação como ponto de partida da teologia, vendo a revelação de Deus em Cristo como um "não" radical a toda razão e esforços humanos.

Em 1919, Barth publicou um comentário de Romanos e, posteriormente, em 1922, uma segunda edição mais radical do mesmo. Não era um comentário no sentido usual da palavra; era mais uma crítica embasada sobre a identificação liberal de Deus com a civilização humana. "Que Deus seja Deus", foi o clamor de Barth. Deus é radicalmente diferente da humanidade. Somos totalmente dependentes da revelação e redenção de Deus. O protesto do pastor suíço teve repercussões dramáticas no mundo teológico. Barth descreveu a si mesmo como homem que, procurando no escuro, agarrou algo que descobriu ser a corda de um sino, cujo tanger ecoou por toda a Europa. Em 1932, Barth publicou o primeiro volume de sua principal obra, *Dogmática da Igreja*. Treze

---

3 Citado em Alister McGrath, *A Cloud of Witnesses*, IVP, 1990, p. 113.

volumes e seis milhões de palavras mais tarde, a obra ainda permanecia inacabada, em 1968, ano da sua morte. De mãos dadas à ênfase de Barth na revelação estava seu destaque à doutrina da Trindade. No prefácio à primeira tradução do primeiro volume de *Dogmática da Igreja*, G. T. Thomson afirma: "sem dúvida este é o maior tratado sobre a Trindade desde a Reforma". Na nova tradução de G. W. Bromiley e T. F. Torrance, estes estendem essa afirmativa até Agostinho[4]. A razão para tais declarações não é simplesmente o *significado* que Barth dá à Trindade, mas a *posição* que lhe atribui. Em contraste direto às proposições de Schleiermacher, Barth coloca a Trindade, não como um apêndice, nem mesmo como doutrina de Deus, mas sob a doutrina da palavra de Deus, para que a Trindade se torne ponto de partida e fundamento para toda a teologia.

O liberalismo presente no Movimento Iluminista desviou o pensamento teológico da revelação divina para a razão humana, tornando marginal a Trindade. Barth saiu da razão humana, voltando para a revelação, tornando, por sua vez, central a Trindade. Isso, conforme veremos no próximo capítulo, é devido à centralidade da Trindade para a ideia de revelação proposta pelo pastor. Barth via a Trindade como resposta cristã ao ceticismo da modernidade em relação ao conhecimento de Deus. Por meio de Jesus, o Pai se faz conhecido na história, e mediante o Espírito Santo nos capacita a reconhecer tal fato como revelação divina. Barth falou da Trindade como o Revelador (o Pai), a Revelação (o Filho) e a *Revelacionalidade* (o Espírito Santo).

A preocupação de Barth com colocar a Trindade no centro da teologia foi compartilhada por teólogos mais recentes, tais como o alemão Jürgen Moltmann (1926–). Como jovem prisioneiro de Guerra, na Escócia, Moltmann ficou sabendo das atrocidades que os nazistas cometiam por toda a Europa, e sua

---

4 Em Karl Barth, *Church Dogmatics*, 1.1, p. ix

teologia inicial foi uma tentativa de responder a esse sofrimento. A cruz, diz Moltmann, "divide Deus de Deus no grau máximo de inimizade e distinção"⁵.

Visão de Karl Barth sobre a Trindade

```
        O PAI
     (o Revelador)
    
         Um
        só Deus

  O FILHO         O ESPÍRITO
(A Revelação)   (Revelacionalidade)
```

Moltmann fala de uma "morte *em* Deus"⁶. Contudo, nesta separação absoluta e terrível do Pai e do Filho, há, por meio do Espírito, uma unidade de propósito⁷. "A ressurreição do Filho abandonado pelo Pai une a Deus com Deus na comunhão mais íntima"⁸. Essa separação e reunião significam que "na glorificação, a Trindade está aberta ao ajuntamento e à união dos homens e da criação em Deus"⁹. Ao tomar sobre si o desamparo de Deus e o sofrimento e morte do mundo, o Filho une o mundo a Deus. Até mesmo o protesto da humanidade em sofrimento contra Deus, ouvida dos lábios do Filho, quando este clama: "Meu Deus, por que me desamparaste?", agora existe em Deus. Moltmann rejeita a crença clássica de que Deus não

---

5 Jürgen Moltmann, *The Crucified God*, SCM, 1974, p. 152.
6 Jürgen Moltmann, *The Crucified God*, p. 207.
7 Jürgen Moltmann, *The Spirit of Life*, SCM, 1992, p. 63-64.
8 Jürgen Moltmann, *The Crucified God*, p. 152.
9 Jürgen Moltmann, *The Future of Criação*, SCM, 1979, p. 91.

pode sofrer (a "impassibilidade" de Deus). Esta doutrina foi construída sobre uma falsa dicotomia entre impassibilidade e sofrimento indesejado, argumenta o teólogo alemão. Na verdade, Deus, em sua liberdade, escolhe sofrer e mudar. O entendimento que Moltmann tinha da Trindade teve consequências sociais. Numerosos teólogos modernos argumentaram que a doutrina tradicional de Deus é inimiga da liberdade humana. No entanto, Moltmann alega que, longe de defender a monarquia e a patriarquia, a doutrina da Trindade as solapa. "O que é normativo para todas as relações na criação não é a estrutura de comando e obediência dentro da Trindade, mas sua eterna *pericórese*". Isso tem também consequências ecológicas. Moltmann fala da "doutrina pericorética da criação"[10]. "O Deus triuno é comunidade... e se faz modelo de uma comunidade justa em que se pode viver no mundo da natureza e dos seres humanos"[11].

Teologia da Libertação

Os teólogos da libertação, como o brasileiro Leonardo Boff (1938–), também têm usado a doutrina da Trindade para desenvolver sua visão de comunidade humana. Ganhando destaque primeiramente na América Latina dos anos 1970, como resposta à pobreza, a teologia da libertação defende que a salvação tenha uma dimensão política de libertação da injustiça. Boff argumenta que a comunidade divina é um protótipo de todas as comunidades humanas, desde a família até a igreja e a nação. A Trindade nos oferece a visão de uma sociedade justa de pessoas iguais, em lugar de nossos modelos atuais de interação social exploradora. Ele fala sobre o Pai como origem de toda libertação, o Filho como mediador da libertação divina e o Espírito como a força motriz dessa libertação.

---

10 Jürgen Moltmann, *History and the Triune God*, SCM, 1991, p. 127; veja também *God in Creation*: An Ecological Doctrine of Creation, SCM, 1985, p. 16-17.
11 Jürgen Moltmann, *History and the Triune God*, p. xii-xiii.

Teologia Feminista

De modo semelhante, as teólogas feministas enfatizam um entendimento não patriarcal da Trindade. Algumas procuraram criar uma linguagem isenta de gênero para a Trindade, falando do Criador, Redentor e Sustentador. O problema é que tais termos referem-se às atividades de Deus nas quais as três pessoas da Trindade estão envolvidas, de modo que, quaisquer que sejam as intenções de seus defensores, esses vocábulos sugerem uma visão modalista de Deus.

Catherine Mowry LaCugna (1953–1997), erudita católica romana, toma diferente abordagem. Critica a tendência a um entendimento abstrato da Trindade, separado da vida cristã cotidiana. A doutrina da Trindade conta a história do envolvimento de Deus com a humanidade, afirmando que ele é relacional. Aprendemos com a Trindade que as pessoas são pessoas por terem relacionamentos, diz ela. Desse modo, a Trindade oferece uma visão de "comunidade humana estruturada por relacionamentos de igualdade e mutualidade ao invés de hierarquia"[12].

Na teologia ocidental, essa ênfase sobre as implicações sociais foi influenciada pela emigração de numerosos teólogos ortodoxos orientais, fugidos do comunismo na Rússia. Talvez o mais influente tenha sido John Zizioulas (1931–), que defende que o *ser* divino não tem significado à parte das pessoas. Fala de "ser comunhão"[13]. A identidade de Deus consiste na comunhão das três pessoas. Da mesma forma, a identidade humana consiste na comunhão dos seres humanos, pois somos criados à imagem de Deus.

A necessidade contínua de reformar nossa teologia

Já vimos como a doutrina da Trindade se desenvolvia ao passo que as pessoas refletiam sobre os dados bíblicos. Vimos, também,

---

12 Citado por Philip W. Butin, *The Trindity*, p. 71-72.
13 John D. Zizioulas, *Being As Communion: Studies in Personhood and the Church*, St Vladimir's Seminary Press, 1985.

diferentes maneiras de explicar o relacionamento entre os Três e o Um. Observamos como algumas pessoas têm o entendimento da Trindade moldado por suas culturas, enquanto outras usavam a Trindade para criticar a sua própria. Talvez você queira considerar quais influências e pressuposições, tanto pessoais quanto sociais, e não outras, o atraem a certo entendimento da Trindade?

Uma teologia da Trindade é um projeto contínuo. Temos de novamente rearticular o evangelho para a nossa cultura. Ao mesmo tempo, precisamos examinar a influência da cultura sobre nosso pensamento. O desenvolvimento da doutrina da Trindade ilustra como uma visão levemente divergente pode acabar sendo uma sintonização errada, que eventualmente nos conduzirá para longe do evangelho bíblico. Uma mudança de ênfase, em uma geração, pode tornar-se perigosa heresia na próxima. Portanto, a teologia é tarefa séria para todos os cristãos. Todavia, não precisamos nos desesperar. Nossos antepassados na fé oferecem-nos um rico recurso de entendimento. Acima de tudo, temos a Bíblia e a iluminação do Espírito Santo, o qual provê firme fundamento da verdade vinda do próprio Deus. E mantemos em tensão o humilde reconhecimento da necessidade contínua de reformar nossa teologia e a confiança na verdade.

PARTE TRÊS
IMPLICAÇÕES PRÁTICAS

PARTE TRÊS
IMPLICAÇÕES
PRÁTICAS

Capítulo 8

A TRINDADE E A REVELAÇÃO

> Porque finitos e pecadores, não podemos conhecer o Deus infinito. Porém, graciosamente Deus torna-se a nós conhecido. Embora não possamos "estudar" Deus, podemos conhecê-lo por meio de um relacionamento pessoal. Deus pode ser conhecido pessoalmente por ser ele uma Trindade de pessoas em relacionamento; pode ser conhecido porque se revelou em seu Filho e nos capacita a reconhecer tal revelação por seu Espírito.

A humanidade conseguiu enviar sondas espaciais aos limites mais longínquos de nosso sistema solar, e pousá-las em outros planetas. Mas uma missão humana a Marte parece ainda estar a muitos anos de distância. Além do mais, nosso sistema solar representa uma pequena fração da nossa galáxia, e ela é apenas uma entre milhões. Na verdade, conhecemos muito pouco sobre o universo no qual vivemos. Como então esperar que conheçamos um ser infinitamente maior do que o universo? Como então esperar que compreendamos o seu Criador? Como poderemos ver Deus invisível?

O Deus que não se pode conhecer

Posso conhecer alguns fatos a respeito de uma cidade distante que nunca visitei, porém não posso dizer que conheço essa cidade.

Tampouco poderia dizer que conheço uma pessoa que jamais encontrei. No máximo seria capaz de formar uma impressão dela por ler a seu respeito ou falar com pessoas que a conhecem. No entanto, o Deus invisível é incomparavelmente mais distante que qualquer cidade sobre a terra. Ninguém jamais o viu. Ele é um ser tão fora de nossa esfera de experiência, que se faz difícil ver como conhecer qualquer coisa confiável a seu respeito, quanto mais dizer que o conhecemos. Como o finito pode conhecer o infinito?

A teologia do primeiro milênio — especialmente conforme se desenvolveu no Oriente — dizia que a essência de Deus era inescrutável. Só podemos fazer declarações negativas (ou "apofáticas") a respeito de Deus: Deus é *im*utável, *inam*ovível, *in*finito, e assim em diante. Mesmo as declarações positivas devem ser vistas, na verdade, como afirmações negativas. Dizer que Deus é Espírito é apenas dizer que ele não tem corpo.

Durante a Idade Média, os principais teólogos da ortodoxia oriental foram Simeão (949 – 1022), o *novo teólogo*, e Gregório Palamas (c. 1296 – 1359). Ambos defendiam um movimento conhecido como *hesicasmo* (da palavra grega "quietude"), que envolve acalmar as paixões por meio da constante repetição em oração, combinada a modelos sincronizados de respiração. Palamas defendia que Deus em sua essência é impossível de se conhecer e sem possibilidade de comunicação, no entanto se torna conhecido por sua energia. Deus não podia ser conhecido, mas a sua energia podia ser encontrada mediante a oração.

Os teólogos do Ocidente medieval tinham maior confiança na capacidade da humanidade de conhecer a Deus. Criam que Deus podia ser conhecido pela teologia natural — conhecimento de Deus baseado em observações sobre o mundo. Desta forma Tomás de Aquino desenvolveu seus "argumentos cosmológicos" para a existência divina. Tudo no mundo está em movimento ou mudança porque outra coisa o moveu. Contudo, argumentou

Aquino, por trás de todo esse movimento tem de haver um Criador imutável. De modo semelhante, todo evento tem uma causa e assim, a não ser que haja uma corrente infinita de causas, tem de haver um Causador primeiro, que não fora causado. Novamente, tem de haver uma fonte por trás de valores como verdade e bondade, se forem estes mais do que noções arbitrárias. O mundo reflete um desenho inteligente, sugerindo um grande projetista, que com um propósito o criou. Por meio de tais argumentos racionais, Aquino acreditava que poderíamos estabelecer a existência de Deus.

Com a ênfase do Iluminismo sobre a razão humana, essa tradição tomou nova forma nos séculos XVIII e XIX. Em seu livro *Christianity as old as Creation*, Matthew Tindal procurou estabelecer o conhecimento de Deus com base na teologia natural, assim como Aquino havia feito. Conquanto Aquino tenha trabalhado dentro da estrutura da revelação, Tindal pensava que as pessoas racionais não precisavam mais da revelação. Poderíamos conhecer Deus pela razão humana. O resultado não era o conhecimento do Deus da Bíblia, mas o deus do deísmo — um deus que não se envolve com o mundo que criou.

Podemos conhecer a verdade?

O Iluminismo forjou a cosmovisão conhecida como modernidade. Todavia nosso mundo está se tornando cada vez mais pós-moderno. A modernidade pensava confiantemente que a humanidade podia chegar a um entendimento concorde quanto à verdade última. Porém nossas sociedades pluralistas sugerem outra coisa. O pós-modernismo suspeita de todas as reivindicações de conhecimento absoluto da verdade. As formas mais extremas, como o desconstrucionismo, duvidam que exista qualquer verdade absoluta. No entanto, a maioria dos pós-modernos simplesmente duvida que alguém possa conhecer com confiança o que seja a verdade absoluta. Todas essas afirmativas de verdade são inerentemente de coação — um embuste da parte dos poderosos para manter seu poder. Talvez você tenha encontrado tal atitude quando pessoas acusam os cristãos de serem arrogantes por dizerem conhecer *a* verdade sobre Deus. É importante, contudo, reconhecer que o pós--modernismo faz uma crítica justificada da modernidade. Os seres humanos não são capazes de conhecer Deus ou chegar à verdade absoluta mediante a razão humana; muito menos conseguem concordar quanto à verdade dessa forma.

Não podemos conhecer Deus porque somos criaturas finitas e ele é o Criador infinito. Contudo, o real problema com as tentativas de conhecer Deus pela razão ou experiência humana é que nossa mente é obscurecida pelo pecado. O problema não é somente nossa condição de criatura. O néscio do Salmo 14, ao dizer em seu coração "Não há Deus", não é ignorante. "Corrompem-se e praticam abominação; já não há quem faça o bem", diz o salmista.

O que nos impede de conhecer Deus é nossa rebeldia contra ele. Paulo diz:

> Porque os atributos invisíveis de Deus, assim o seu eterno poder, como também a sua própria divindade, claramente se reconhecem, desde o princípio do mundo, sendo percebidos por meio das coisas que foram criadas. Tais homens são, por isso, indesculpáveis (Romanos 1.20).

À primeira vista, isso parece sugerir que podemos conhecer Deus por meio da teologia natural. Contudo Paulo continua: "Porquanto, tendo conhecimento de Deus, não o glorificaram como Deus, nem lhe deram graças; antes, se tornaram nulos em seus próprios raciocínios, obscurecendo-se-lhes o coração insensato." (Romanos 1.21). O problema é que as pessoas "detêm a verdade pela injustiça" (Romanos 1.18). Stephen Williams argumenta persuasivamente que, por trás da rejeição à revelação pelo Iluminismo, havia uma rejeição às ideias contidas no entendimento cristão da reconciliação: responsabilidade humana para com Deus, o pecado humano, o juízo e a expiação[1]. A questão subjacente não era uma rejeição à *possibilidade* da revelação, mas a rejeição à *realidade* da revelação. As pessoas não gostam do que Deus realmente tem revelado sobre elas mesmas: que são pecadoras, devedoras a Deus, passíveis de seu juízo, cuja única esperança está na obra expiadora do Filho de Deus.

Nossa incapacidade de conhecer Deus por causa de nosso pecado foi reconhecida pelo teólogo medieval Anselmo da Cantuária. Às vezes, Anselmo é visto como um grande racionalista. Seu "argumento ontológico" para a existência de Deus parece operar somente pela razão. Não depende nem mesmo da observação do mundo. O argumento segue da seguinte forma:

- Definamos Deus como o mais alto ser concebível. O que for Deus, por definição, tem de ser o maior ser possível.
- Porém, se Deus for o maior ser concebível, ele tem de existir, pois se não existir, será possível conceber um ser que seja como nosso conceito de Deus, excetuando o acréscimo de realmente existir.
- Se Deus não existe, podemos conceber um maior — um que exista — *que deverá ser, ele mesmo, Deus.*

Experimente isso com seus amigos! Parece racional. No entanto, imediatamente antes de expor seu argumento ontológico, Anselmo ora:

> Reconheço, ó Senhor, com gratidão, que tu criaste esta tua imagem em mim, para que me lembrando de ti, possa eu pensar em

---

1 Stephen N. Williams, *Revelation and Reconciliation*: A Window on Modernity, CUP, 1995.

ti, possa amar-te. Mas esta imagem é tão deturpada e desgastada por minhas culpas, é tão obscurecida pela fumaça dos meus pecados, que não pode fazer aquilo que foi feita para fazer, a não ser que tu a renoves e reformes. Não tento, ó Senhor, penetrar tua alteza, pois não posso começar a igualar meu entendimento com ela, mas desejo, em alguma medida, compreender a tua verdade, a qual meu coração crê e ama. Pois não procuro compreender a fim de crer, mas creio a fim de compreender. Nisto também creio: "a não ser que eu creia, jamais entenderei".[2]

Anselmo agradece a Deus por termos sido criados com a capacidade de conhecer Deus. Porém, essa capacidade foi arruinada pelo pecado. Não podemos utilizar nossas faculdades humanas da razão ou da experiência para entender Deus. O conhecimento de Deus é "obscurecido pela fumaça de meus pecados". Por causa de sua condição de criatura, Anselmo não consegue "penetrar a altura de [Deus]". Se quisermos conhecer qualquer coisa de Deus, ele mesmo tem de renovar nossa capacidade de conhecê-lo. Nosso conhecimento de Deus tem de ser resultado da obra divina em nós. O conhecimento de Deus tem de começar pela fé. Anselmo não procura entender para que possa crer. Citando Agostinho, diz que crê a fim de entender. Os argumentos para a existência de Deus operam somente quando confirmam aquilo que já é aceito com base na fé.

Se temos de conhecer Deus, ele mesmo tem de se fazer conhecido pela fé. Como defendia Calvino, a essência divina é inescrutável. Deus não é uma matéria que podemos investigar. Não é como uma planta que podemos examinar sob o microscópio ou um acontecimento da História que possamos pesquisar. Ele não é suscetível à nossa investigação intelectual. Contudo, Deus se fez conhecido pelas pessoas da Trindade. Conhecido pessoalmente ou de nenhum outro modo. Na Trindade ou em nada.

---

2 Anselmo, *Proslogion*, 1.

O Deus que é pessoal

Deus é sujeito, não objeto. Usamos a palavra "sujeito" em alusão a um tópico de inquirição. Estudamos "sujeitos" na escola. Mas em termos gramaticais, o "sujeito" de uma sentença é a pessoa ou coisa que realiza a ação descrita. Neste sentido, não é um objeto passivo sobre o qual inquirimos. Deus é o "sujeito" da revelação. É ele quem atua. Na revelação, ele age na história comunicando a si mesmo.

Imagine como foi para os conquistadores espanhóis que, em Cuzco, "descobriram" a cidade Inca — a "cidade do ouro" como a chamaram. Haviam viajado meia volta ao mundo, entrado pelo mato sem mapa, a machadadas, encontrado inúmeras ameaças e perigos. E então acharam o que procuravam: uma civilização maravilhosa, que prometia riquezas fabulosas. É assim que algumas pessoas imaginam a busca pelo Deus da humanidade. Somos bravos exploradores, usando a razão para abrir caminho através da superstição e do mito. Ou talvez sejamos como monges, gastando tempo em contemplação mística até alcançar a iluminação. Talvez o conhecimento de Deus seja a recompensa por uma vida de boas obras e atividades religiosas. Quaisquer que forem os meios, conhecer Deus é visto como uma nobre procura que ressalta o que há de melhor na humanidade.

Nada poderia estar mais longe da visão bíblica do conhecimento divino. Os cristãos não são aqueles que procuraram e encontraram Deus. São os que foram encontrados por ele. É possível pensar que conseguimos agarrar a Deus, mas na realidade, é ele quem nos toma nas mãos (Filipenses 3.12). A revelação não é um conjunto de fatos, mas os atos de Deus no tempo e no espaço. Segundo Emil Brunner: "O senhorio e o amor de Deus não podem ser comunicados de nenhuma outra forma senão por Deus entregando a si."[3]. Não subimos ao céu em nosso pensamento a

---

3 Citado em Alister McGrath, *Christian Theology: An Introduction*, Blackwell, 3rd ed., 2001, p 205.

fim de apreender o mistério de Deus. Deus desce do céu para se fazer conhecido. Em Cristo, Deus "comunicou, não somente algo a respeito de si, mas o seu próprio ser"[4].

Isso significa que a revelação é pessoal, e tem de ser pessoal. Porque Deus é pessoal e pode entrar em relacionamento pessoal conosco. Ele decide revelar a si mesmo para nós. Não é uma força impessoal que domina o universo nem um conjunto de princípios morais que gerações anteriores tornaram objeto. Ele é um ser pessoal com quem podemos ter um relacionamento pessoal. Somente dentro do contexto de um relacionamento é que começamos a aprender a respeito dele.

A revelação ainda tem um conteúdo proposicional, pois o próprio Deus é a verdade (ver João 14.6-8). Deus se revelou mediante seu Verbo, o Filho, e temos acesso a essa revelação na palavra de Deus, a Bíblia.

Deus é pessoal porque existe eternamente no relacionamento trino. A pessoalidade trata de relacionamento e reciprocidade. Deus não pode ser solitário. Se o único Deus não for uma comunidade de pessoas, não poderá ser pessoal, e se não for pessoal, não o poderemos conhecer. Deus pode ser conhecido porque ele é relacional, e ele é relacional porque existe nas três pessoas em relacionamento. Se Deus não fosse três pessoas, estaria para sempre escondido em "luz inacessível". Não temos acesso ao Um, exceto mediante os Três.

O Deus que é revelação

A Trindade muitas vezes tem sido vista como uma doutrina que sintetiza várias outras verdades cristãs fundamentais: a humanidade e divindade de Cristo; a habitação do Espírito; e assim por diante. A Trindade completa e guarda tais verdades anteriores. Contudo, conforme vimos no capítulo anterior, Karl Barth virou

---

4 T. F. Torrance, *The Trinitarian Faith*, T&T Clark, 1988, p. 6

essas verdades pelo avesso. Barth fez da Trindade o ponto de partida da teologia. A Trindade é pré-condição para a revelação, sobre a qual toda a teologia está construída. Barth admite que "ao colocar a doutrina da Trindade na cabeça de toda a dogmática, estamos adotando uma posição muito isolada do ponto de vista histórico da dogmática".[5]

Para Barth, a palavra de Deus diz "não" a toda religião centrada no homem. Ao invés de começar da humanidade, Barth diz que o ponto de partida da teologia é o *fato* da revelação. E não se pode ter uma verdadeira doutrina da revelação sem a Trindade. "*Deus* revela a si. Revela-se *por meio dele mesmo*. Revela *a si mesmo*"[6]. Se Deus fosse qualquer coisa menos trinitariano, argumenta Barth, seria impossível ser conhecido. Haveria sempre um "Deus como ele é" por trás da revelação de Deus, se a revelação de Deus *não fosse* Deus tanto objetivamente (o Filho) quanto subjetivamente (o Espírito). Deus não somente tem de revelar, mas ser a sua revelação, e o recebimento dessa revelação.

"Revelação, na Bíblia, significa Deus, que por sua natureza não pode ser desvendado aos homens, desvendando a si mesmo a eles."[7]. Ao enfatizar cada uma das três secções dessa declaração, Barth expõe a Trindade em termos de Revelador, Revelação e Revelacionalidade. O Filho é a Revelação ou o "desvendar de si mesmo" de Deus. O Pai é o Revelador — o Deus invisível "que por sua natureza não pode ser desvendado aos homens". O Espírito é a Revelacionalidade de Deus, pelo qual a Revelação de Deus é "concedida aos homens".

O Filho como Revelação de Deus é o lado objetivo do processo de revelação. O Espírito, enquanto Revelacionalidade divina, seu lado subjetivo. O Espírito nos capacita a ver no Filho a revelação

---

5 Karl Barth, *Church Dogmatics* 1.1, p. 300.
6 Karl Barth, *Church Dogmatics* 1.1, p. 296
7 Karl Barth, *Church Dogmatics* 1.1, p. 315

do Pai. Anteriormente, dissemos que não podemos conhecer Deus, pois:

1. criaturas finitas não podem compreender o infinito e
2. o pecado obscureceu nossas mentes.

O argumento de Barth é que somente a revelação trinitariana pode vencer tais obstáculos. O Filho como Revelação de Deus significa o Pai verdadeiramente revelado a nossas mentes finitas. O Espírito enquanto Revelacionalidade divina abre nossos olhos cegos para perceber no Filho a verdade de Deus. "Não só o elemento objetivo como também o subjetivo da revelação, não apenas sua atualidade como também sua potencialidade, é o ser e a ação do único Deus que revela a si mesmo"[8]. Como coloca Vern Poythress:

> A Verdade é de caráter trinitariano. Jesus é a verdade. Ao mesmo tempo, ele é a verdade a respeito de Deus Pai. A verdade manifesta pelo poder do Espírito Santo[9].

Barth localiza sua discussão acerca das outras religiões sob o papel do Espírito na revelação. Para o teólogo, "religião é incredulidade", porque é a rejeição da revelação em favor de algo de nossa própria criação[10]. Ele reconhece que a humanidade foi feita com a capacidade de conhecer a Deus, no entanto perdemos tal conhecimento. Citando a declaração paulina aos atenienses sobre o Deus desconhecido, em Atos 17, Barth fala: "Paulo lhes diz: vocês sabiam sobre isto, mas este Deus se tornou desconhecido em vez de um Deus conhecido, pois agora

---

8   Karl Barth, *Church Dogmatics*, I.2, p. 280.
9   Vern S. Poythress, *God-Centred Biblical Interpretation*, P&R, 1999, p. 64.
10 Karl Barth, *Church Dogmatics*, I.2, p. 299.

vocês o adoram ignorantemente"[11]. A revelação só pode vir pelo Espírito, e quando ela vem, reconhecemos que não podemos conhecer Deus por nós mesmos. Isso quer dizer que "a revelação não se alia a uma religião humana que já esteja presente e sendo praticada. Isso a contradiz, assim como anteriormente a religião contradizia a revelação"[12]. Assim Barth descreve a revelação como "a abolição da religião"[13].

As Escrituras indicam uma estrutura trinitariana para a revelação. No Antigo Testamento, a revelação envolve uma autodiferenciação com a Divindade. Em Êxodo 33, Deus diz a Moisés: "Não me poderás ver a face, porquanto homem nenhum verá a minha face e viverá" (Êxodo 33.20). Mas poucos versículos antes, é-nos dito: "Falava o Senhor a Moisés face a face, como qualquer fala a seu amigo" (Êxodo 33.11). Há uma "dimensão" de Deus cuja face Moisés não pode ver, e outra com quem fala face a face.

Todavia, é com a encarnação e o envio do Espírito que se torna clara a estrutura trinitária da revelação. O Filho é a revelação de Deus. João descreve Jesus como "o Verbo": "E o Verbo se fez carne e habitou entre nós, cheio de graça e de verdade, e vimos a sua glória, glória como do unigênito do Pai... Ninguém jamais viu a Deus; o Deus unigênito, que está no seio do Pai, é quem o revelou" (João 1.1, 14, 18). Paulo afirma que Cristo é "a imagem do Deus invisível" (Colossenses 1.15). O escritor de Hebreus diz que Deus "nos falou pelo Filho, a quem constituiu herdeiro de todas as coisas, pelo qual também fez o universo. Ele, que é o resplendor da glória e a expressão exata do seu Ser" (Hebreus 1.1-3). E o Espírito é o meio pelo qual nos apropriamos da revelação de Deus em Cristo. "Toda a Escritura é inspirada por Deus" diz Paulo (2 Timóteo 3.16). O Verbo (e

---

11 Karl Barth, *Church Dogmatics*, I.2, p. 305.
12 Karl Barth, *Church Dogmatics*, I.2, p. 303.
13 Karl Barth, *Church Dogmatics*, I.2, p. 297.

a Palavra) de Deus vem no sopro divino. Foi o Espírito que capacitou os profetas a falar de Cristo (1 Pedro 1.10-11; 2 Pedro 1.21). É o Espírito que convence do pecado quando as pessoas não creem em Jesus (João 16.7-11), e que fala a revelação de Cristo aos nossos corações (João 16.12-15).

Como então responder aos amigos pós-modernos que duvidam de qualquer afirmativa em relação ao conhecimento da verdade? Podemos começar concordando com eles. Os seres humanos não conseguem chegar com confiança à verdade. Está além da capacidade humana o conhecimento do Deus invisível. Mesmo aquilo que porventura conhecemos de Deus, mediante a sua criação, está obscurecido por nosso pecado. Porém, Deus graciosamente revelou a si próprio por meio de seu Filho e abriu nossos corações obscurecidos por meio do Espírito. A revelação é um ato de graça, tanto quanto o é a redenção. Na verdade, a revelação não pode ser separada da redenção. Revelação envolve muito mais do que fornecer informações. Envolve um relacionamento pessoal com o Deus santo. Conhecemos Deus, pois em Cristo Deus se revelou, e porque em Cristo Deus nos reconciliou consigo mesmo. É desta forma que Thomas Binney (1798–1874) o coloca:

> Luz Eterna! Luz Eterna!
> Quão pura a alma tem de ser,
> Ao ser colocada perante tua visão que tudo perscruta,
> Ela não se encolhe, mas, com deleite calmo
> vive e olha para ti.
>
> Os espíritos em volta de teu trono
> Podem suportar o prazer que queima;
> Mas isso certamente pertence a eles somente,
> Porque eles nunca, jamais conheceram
> Um mundo caído como este.

Como posso eu, cuja esfera nativa
Escura é, cuja mente é frágil,
Ao estar diante do Inefável
E sobre meu espírito nu suporte
O raio não criado?

Há um caminho para o homem subir
Até a habitação sublime:
uma oferta e um sacrifício,
a força do Espírito Santo,
um Advogado com Deus.

Estes, estes nos preparam para a visão
de santidade acima;
os filhos da ignorância e das trevas
podem habitar na luz eterna,
por meio do amor eterno.

Capítulo 9

A TRINDADE E A SALVAÇÃO

> A morte de Cristo na cruz pode ser vista como sua vitória sobre Satanás e como um exemplo moral. Tais abordagens veem a salvação como uma transação entre Deus e Satanás e entre Deus e a humanidade. Mas em seu cerne, a salvação é uma transação dentro da Trindade. O Filho oferece a si mesmo ao Pai como nosso substituto. Deus julga e também é julgado. O Espírito aplica essa transação a nossas vidas.

Neste momento estou adivinhando, porém tenho minhas suspeitas de que poucas pessoas que leem este livro estejam interessadas na capacidade de carga de um cabo de aço. Próximo de Matlock, em Derbyshire, perto de onde moro, há um teleférico que leva passageiros até as cênicas "Alturas de Abraão". No meio do caminho, o teleférico para a fim de que as pessoas tirem fotografias. Sofro de tontura, por isso estar dentro de um veículo parado, puxado por um cabo de aço, ao balanço do vento, não é uma experiência agradável para mim. De repente, a capacidade do teleférico de portar determinado peso parecia o assunto mais importante do mundo — o tipo de coisa que pode salvar sua vida.

O mesmo se dá com a doutrina da Trindade. Não é apenas uma doutrina arcana que estende nossa mente ou nos dá um bom assunto de discussão. É, literalmente, uma questão de vida ou morte.

O Credo de Niceia confessa que Jesus, "para nós homens e para nossa salvação, veio do céu, pelo Espírito Santo foi encarnado na Virgem Maria, e feito homem". Aquele que é "vero Deus do vero Deus" se tornou homem, e a razão disso era a "nossa salvação". A questão em jogo é a afirmação da verdadeira divindade e verdadeira humanidade de Jesus, "nossa salvação". Os primeiros Pais da igreja, que desenvolveram e defenderam a doutrina da Trindade nos primeiros séculos depois de Cristo, não o fizeram como algum exercício esotérico, tampouco como mera afirmativa desligada da ortodoxia. Em jogo estava "nossa salvação".

O Concílio de Niceia afirmava ser o Filho *homoousios* ("da mesma substância") com o Pai. Contudo, depois do Concílio, o termo foi em grande parte deixado em favor de um outro conciliatório: *homoiousios* ("de substância similar"). Atanásio permaneceu quase sozinho contra essa mudança. Por fim venceu, mas não antes de sofrer cinco períodos de exílio num total de dezessete anos. Será que as complexidades da teologia têm importância? Podemos imaginar alguém nos dias de hoje sendo exilado pelo acréscimo de uma letra grega? Importa, argumentava Atanásio, pois nossa doutrina da Trindade faz-se crucial a um entendimento correto da salvação: "Ninguém senão o próprio Salvador, que no princípio, do nada fez todas as coisas, poderia levar os corrompidos à incorrupção; ninguém senão a imagem do Pai poderia recriar os homens à sua imagem; ninguém senão nosso Senhor Jesus Cristo, que é a própria vida, poderia tornar imortal o homem mortal."[1] O foco pode estar na doutrina de Deus, todavia, para Atanásio, a doutrina da salvação nunca está longe.

A visão dramática da expiação

A palavra "expiação" significa reconciliação. É o termo que empregamos para descrever como a cruz de Cristo realizou nossa

---
1 Atanásio, *On the Incarnation of the Word*, 4.20.

salvação. Os primeiros Pais da igreja viam a cruz primeiramente em termos da vitória de Cristo sobre Satanás. Sobre a cruz, Cristo nos libertou do poder de Satanás para o reino de Deus. Tal fato é conhecido como o ponto de vista dramático da expiação, pois vê a cruz como a peça central de um grande drama. Essa visão era uma característica forte do pensamento de Martinho Lutero, e continua tendo uma posição dominante na teologia ortodoxa oriental.

Tal ideia encontra-se na famosa obra alegórica para crianças, *O Leão, a Feiticeira e o Guarda-roupa*, de C. S. Lewis. Nela, a feiticeira branca, que representa Satanás, requer a vida do leão Aslam, representação de Jesus. Lewis emprega imagens substitutivas, pois Aslam morre no lugar de Edmundo, o traidor, filho de Adão. No entanto, o autor também fala em termos de vitória e até mesmo de trapaça. Em razão de uma "magia profunda na aurora do tempo", a feiticeira branca reivindica a vida de Edmundo: "todo traidor, pela lei, é presa minha, e tenho o direito de matá-lo"[2]. Isso posto, Aslam oferece a si mesmo no lugar de Edmundo, fazendo com que a feiticeira acredite na própria vitória. Porém ela não entende que "uma magia ainda mais profunda de antes da aurora do tempo" também opera no universo. "Se uma vítima voluntária, inocente de traição, fosse executada no lugar de um traidor... a própria morte começaria a andar para trás..."[3]. A morte de Aslam significa a derrota da feiticeira branca. Ela pensa triunfar com a morte do leão. Mas na verdade, por sua morte ela foi vencida. Foi enganada e seu poder quebrado. Aslam é vitorioso.

Na discussão da cruz pelos Pais da igreja grega, a noção de resgate era tema dominante (ver Marcos 10.45; 1 Timóteo 2.6). Essa noção apreende o sentido da libertação que se alcança pela cruz e a ideia do sangue de Cristo em pagamento por nosso pecado (1 Pedro 1.18-19). Mais problemática era a questão: a quem foi pago

---

[2] C. S. Lewis *O Leão, a Feiticeira e o Guarda-roupa*, Martins Fontes, 2009, p. 165.
[3] C. S. Lewis, *O Leão, a Feiticeira e o Guarda-roupa*, Martins Fontes, 2009, p. 175.

tal resgate? Não podia ser pago a Deus, porque Deus não prende os pecadores para serem resgatados, argumentou Orígenes. Portanto, deve ser um pagamento feito a Satanás.

Gregório de Nissa tomou esta ideia, defendendo que, por causa de nossa rebelião contra Deus, Satanás adquiriu direitos sobre a humanidade. O único modo de Deus libertar por direito a humanidade seria se Satanás excedesse seus direitos legítimos. Gregório acreditava que Jesus, aquele que não tinha pecado, tomou a forma da humanidade pecadora para que Satanás, enganado, fosse erradamente levado a reivindicar a vida de Cristo, indo além da autoridade que tinha por direito. O teólogo usa a imagem do anzol com uma isca: a humanidade de Cristo era a isca; sua divindade o anzol.

Anselmo, teólogo medieval, objetou à ideia de um resgate pago a Satanás. Não aceitava que Satanás tivesse direitos legítimos sobre a humanidade. Talvez tivesse poder sobre os seres humanos, todavia isso não seria uma autoridade legítima a qual Deus seria obrigado a respeitar. Ademais, Anselmo não aceitava a ideia de que Deus empregasse artifícios ou enganos. Deus tem de agir sempre com justiça e retidão. Para ele, a expiação é o meio pelo qual Deus *mantém* sua justiça na salvação da humanidade.

A essa crítica podemos acrescentar a observação de que, conquanto o Novo Testamento empregue uma linguagem de resgate e redenção, ele não o faz em relação ao diabo. A linguagem de resgate é limitada. Ela expressa o fato de que somos escravos libertados pelo sangue de Jesus. No entanto, conforme diz John Stott: "o Novo Testamento nunca pressiona a imagem [da redenção] até o ponto de dizer a quem o resgate foi pago"[4].

Em tempos mais recentes, o ponto de vista dramático da expiação tem sido reenfatizado. O teólogo sueco, Gustav Aulén (1879–1977), escreveu um influente livro intitulado *Christus Victor*.

---

4   John Stott, *A Cruz de Cristo*, Editora Vida, 2006, p. 143.

Aulén não considerava que o resgate tivesse sido pago ao diabo, mas desejava reabilitar o ponto de vista da expiação como uma vitória sobre Satanás. Chamou essa abordagem de visão "clássica" da expiação, porque, argumentou ele, havia sido o modelo dominante durante todo o primeiro milênio. A obra de Aulén veio em um momento no qual outras abordagens da expiação estavam sendo questionadas, coincidindo com uma pós-freudiana renovação de interesse nas abordagens que apreendem os seres humanos. Paul Tillich reescreveu as ideias de Aulén, vendo a cruz como a vitória sobre as forças que ameaçam a existência humana autêntica. Escreve Paul Fiddes:

> A vitória de Cristo, na verdade, cria a vitória em nós... O ato de Cristo é um daqueles momentos da história humana que abre novas possibilidades de existência. Uma vez que uma nova possibilidade é revelada, outras pessoas poderão se apropriar dela, repetindo e revivendo a experiência.[5]

A visão substitutiva ou de satisfação da expiação

O ponto de vista de "satisfação" pela expiação foi apresentado pela primeira vez, de maneira desenvolvida, pelo monge normando de nome Anselmo (c. 1033–1109). Em 1083, Anselmo foi consagrado Arcebispo da Cantuária, contudo gastou grande parte de seu tempo como Arcebispo em exílio, posto que insistia na independência da igreja em relação ao rei. No exílio, escreveu *Cur Deus Homo* (*Por que Deus se fez Homem*), obra em forma de diálogo, entre ele mesmo e Boso, um de seus monges.

O pecado, argumenta Anselmo, é "não atribuir a Deus o que é a ele devido". Desonramos a Deus quando falhamos em cumprir nossa obrigação de completa obediência a ele. O resultado é que devemos a Deus uma dívida de honra que exige satisfação. Não

---

5 Paul Fiddes, *Past Event and Present Salvation*, DLT, 1989. Citado em Alister McGrath, *Christian Theology:* An Introduction. 3. ed. Blackwell, 2001, p. 419.

é certo desconsiderar essa situação. A honra de Deus tem de ser restaurada. Não ter nenhum castigo significaria não haver diferença entre culpa e inocência. Um Deus justo tem de manter aquilo que é justo. Não é concebível uma misericórdia que envolva Deus agir de modo contrário a seu caráter. Isso significa a existência de apenas duas alternativas: satisfação adequada, ofertada a Deus; ou a punição, por Deus, daqueles que o desonraram. Tal alternativa de satisfação ou de castigo "mantém seu próprio lugar na ordem do mesmo universo"[6].

A humanidade, no entanto, nada pode fazer para pagar a dívida de honra que devemos a Deus. Devemos tudo a Deus, de modo que qualquer coisa que pudéssemos fazer já faz parte do que devemos a ele. Jamais podemos quitar como se fosse nossas dívidas. Um dos pontos fortes da abordagem de Anselmo é levar o pecado a sério. Ele fala sobre "o peso do pecado"[7]. A falha em entender a necessidade da cruz vem de uma falha em apreciar a seriedade mortal do pecado da humanidade. Não podemos realizar a satisfação. Porém, argumenta Anselmo, a alternativa do castigo também não serve, pois isso contrariaria os propósitos de Deus na criação. O teólogo normando observa que a salvação da humanidade é necessária para completar o número de anjos caídos, a fim de que Satanás não obtenha a última vitória. Tal linha de argumentação não convence. Melhor seria dizer que Deus não precisa nos salvar, mas escolheu fazê-lo por sua misericórdia e graça. Se há uma necessidade, é a necessidade interna que temos do próprio caráter gracioso de Deus. No entanto, o dilema permanece o mesmo: como pode Deus reconciliar sua misericórdia e justiça sem comprometer nenhuma delas? Devemos a Deus o mundo todo — o que poderíamos dar para pagar essa dívida? A única coisa maior que o mundo é o próprio Deus. Só Deus pode cumprir a devida

---

6 Anselmo, *Cur Deus Homo*, 1.15.
7 Anselmo, *Cur Deus Homo*, 1.21.

satisfação. Porém, somente o ser humano deve satisfação a ele. É, portanto, necessário haver Deus-homem.

Anselmo continua seu argumento, dizendo que, embora devamos a Deus a vida, a morte é devida unicamente quando Deus castiga. Se uma vida tiver sido obediente, a morte não é devida a Deus. A morte voluntária pode assim agir como meio de satisfação. Cristo devia a Deus uma vida de perfeita obediência — que cumpriu com correção. Entretanto, não devia a Deus sua morte. Logo, a morte de Cristo merece uma recompensa. Ainda assim Cristo é o homem-Deus que já possui tudo. É, portanto, apropriado que seu mérito seja dado a outros, a fim de pagar a dívida que não podem pagar. A pessoa de Cristo é de valor infinito. Por conseguinte, sua morte tem poder infinito para satisfazer. Cristo cumpre a satisfação dando a Deus a única coisa maior que o mundo — o próprio Deus.

Cur Deus Homo está aberto às críticas. A ideia de Deus apresentada por Anselmo reflete o feudalismo de sua época. Todo o foco está em honra e satisfação. Anselmo não evidencia a ira de Deus, mas apresenta a satisfação e o castigo como as únicas alternativas. Não obstante, a Bíblia apresenta a expiação como algo que envolve castigo. Cristo carregou sobre si nossa punição. "Mas ele foi traspassado pelas nossas transgressões e moído pelas nossas iniquidades; o castigo que nos traz a paz estava sobre ele, e pelas suas pisaduras fomos sarados." (Isaías 53.5). A Bíblia fala de "propiciação", que significa "desviar a ira" (Romanos 3.24-25; 1 João 2.1-2; 4.10). Os oponentes da propiciação fazem caricatura dela, dizendo que um Deus irado tem de ser tornado amoroso pela morte da vítima. Contudo, na teologia cristã é o próprio Deus que faz a proposta. O Pai apresenta a Jesus como sacrifício propiciador. Jesus oferece a si mesmo em nosso lugar, desviando a ira divina com sua morte. Ele se interpõe entre nós e a santa ira de Deus.

Os pontos fracos da posição de Anselmo levaram a tradição reformada a desenvolver uma noção de substituição penal ou um modelo substitutivo de expiação a partir das ideias de Anselmo. A expiação substitutiva é a crença de que Cristo foi nosso substituto — ele morreu a nossa morte e carregou sobre si, em nosso lugar, o juízo que era devido. A substituição penal foi outra maneira de expressá-lo. "Penal" vem da palavra "penalidade". Cristo suportou a penalidade do nosso pecado.

> Na cruz, em amor santo, Deus, por Cristo, pagou ele mesmo a completa penalidade de nossa desobediência. Ele mesmo a suportou. Suportou o juízo que merecíamos, a fim de nos dar o perdão que não merecemos. Sobre a cruz, justiça e divina misericórdia foram igualmente expressas e eternamente reconciliadas. O santo amor de Deus foi "satisfeito"... Como poderia Deus expressar simultaneamente sua santidade no juízo e seu amor no perdão? Somente provendo um substituto divino para o pecador, de forma que o substituto recebesse o juízo e o pecador o perdão... O único modo do santo amor de Deus ser satisfeito era ter sua santidade dirigida em juízo sobre seu designado substituto, a fim de ser seu amor dirigido a nós em perdão. O substituto suporta a pena, para que nós, pecadores, possamos receber o perdão[8].

Uma família da zona rural da Austrália viu o incêndio de uma mata ser varrido pelo vento numa velocidade tremenda, chegando perto de onde estavam muito mais depressa do que conseguiriam fugir. Se fugissem, seriam vencidos e consumidos. Em vista disso, atearam outro fogo. Logo o vento pegou o fogo que haviam começado e o impeliu à frente. Conseguiram andar ao longo do rastro queimado. Quando o fogo principal os

---

8 John Stott, *A Cruz de Cristo*, Editora Vida, 2006, *passim*

alcançou, assolou tudo ao redor deles, mas estavam seguros no veio do fogo que haviam ateado.

Do mesmo modo, sobre a cruz Deus ateou o fogo de seu juízo e Jesus o tomou sobre si. Agora podemos caminhar, seguindo atrás do Cristo. O fogo do juízo de Deus está prestes a chegar. Um dia, chegará a toda a humanidade e nos consumirá. Contudo aqueles que estiverem em Cristo estarão seguros. O fogo do juízo de Deus queimará ao nosso redor, mas estaremos seguros no refúgio que Jesus provê. J. I. Packer diz: "A substituição penal é a ideia de que Jesus Cristo, nosso Senhor, movido por um amor determinado a fazer tudo que era necessário para nos salvar, suportou e exauriu o destrutivo juízo divino pelo qual, de outra feita, estávamos inescapavelmente destinados, ganhando para nós, deste modo, seu perdão, sua adoção e sua glória"[9].

A visão exemplar da expiação

A abordagem de Anselmo foi desafiada por Abelardo (1079–1142). Este teve uma vida cheia de acontecimentos. Educado em Paris, muitas vezes se postava como rival de seus mestres. Residia com um cônego da Catedral de Notre-Dame, chamado Fulbert, e fora tutor da bela sobrinha de Fulbert, Héloise. Abelardo e Héloise se apaixonaram. Ela ficou grávida e foi enviada a um convento. Ele banido, e eventualmente, castrado. As cartas que trocaram, cheias de agonia e assombro, permanecem como parte das grandes histórias de amor da literatura mundial.

A crítica que Abelardo faz a Anselmo é propriamente a falta do amor na abordagem do teólogo normando. O Deus que revelou seu amor na cruz, diz Abelardo, não precisa que uma dívida seja paga antes de seu perdão. Em seu amor, Deus já está disposto a cancelar nossa dívida. O amor divino demonstrado na

---

9 J. I. Packer, *What did the Cross Achieve? The Logic of Penal Substitution*, Tyndale Bulletin 25, 1974, p. 25.

cruz desperta em nós uma resposta de amor. Ocasionalmente, Abelardo usa a linguagem de Cristo suportando nosso castigo, logo, não fica claro se isso foi simplesmente acrescentado, por ele mesmo, à sua visão da expiação enquanto satisfação. O que fica destacado é sua ênfase sobre o impacto subjetivo da cruz. Nas visões dramática e substitutiva, a expiação é uma obra objetiva — que é por nós e que alcança uma mudança fora de nós. Na visão exemplar de Abelardo, a expiação alcança sua obra dentro de nós — ela nos transforma.

DIFERENTES PONTOS DE VISTA SOBRE A EXPIAÇÃO	
Visão dramática ou clássica	O resgate da morte de Cristo foi pago a Satanás para nos libertar de seu poder
Visão exemplar	A morte e o exemplo de Cristo despertam uma resposta de amor em nós
Visão "Substitutiva" ou de "Satisfação"	Cristo morreu como nosso substituto para desviar de nós a ira de Deus.

Salvação e Trindade

Ambas as abordagens da expiação, a dramática e a exemplar, são verdadeiras. Com clareza, o Novo Testamento mostra na cruz de Cristo não só uma vitória sobre Satanás, mas também um exemplo moral. Repetidamente, o Novo Testamento apresenta a cruz como padrão e guia para o discipulado cristão (Marcos 8.34; 1 João 3.16-17). O hino "Ao contemplar a maravilhosa cruz" é testemunho da força emocional da morte de Cristo para o crente sincero. Todavia, as abordagens em relação à expiação, tanto a dramática quanto a exemplar, têm suas raízes na ideia de substituição.

Acerca da posição dramática da expiação, tem de ser feita a seguinte pergunta: como a vitória sobre Satanás foi obtida na cruz?

Em Colossenses 2.13-15 está a passagem que liga mais explicitamente a cruz à derrota de Satanás:

> E a vós outros, que estáveis mortos pelas vossas transgressões e pela incircuncisão da vossa carne, vos deu vida juntamente com ele, perdoando todos os nossos delitos; tendo cancelado o escrito de dívida, que era contra nós e que constava de ordenanças, o qual nos era prejudicial, removeu-o inteiramente, encravando-o na cruz; e, despojando os principados e as potestades, publicamente os expôs ao desprezo, triunfando deles na cruz.

Os principados e potestades são derrotados por que foram "desarmados". Satanás é o acusador, cuja arma é nosso pecado — seu controle sobre nossa vida, bem como as ordenanças do julgamento que ele garante. Mas agora essa arma se tornou impotente, pois nosso pecado foi perdoado a nós foi dada nova vida. As legalidades do pecado foram depositadas sobre Cristo, em nosso lugar. Assim, foi esse ato de substituição que desarmou Satanás e conduziu o triunfo de Cristo por sobre os poderes do mal.[10]

O mesmo tipo de argumento pode ser aplicado ao ponto de vista exemplar. Se a cruz não efetua uma mudança objetiva, ela se torna um gesto vazio. A substituição não precisa diminuir em nada a natureza exemplar da cruz. João diz: "Nisto consiste o amor: não em que nós tenhamos amado a Deus, mas em que ele nos amou e enviou o seu Filho como propiciação pelos nossos pecados." (1 João 4.10). Gerald Bray argumenta que aqueles, como Abelardo, que criam poder Deus simplesmente perdoar o pecado sem exigir qualquer penalidade por ele, "nunca encontraram a profundidade do amor de Deus em Cristo". "A não ser que entendamos que somos merecedores de toda a ira de Deus, que ele certamente a infligirá sobre aqueles que praticam o mal, nunca começaremos

---

10 John Stott, *A Cruz de Cristo. passim*

a compreender a profundidade do amor que nos resgatou de nossa miséria e do que merecíamos por sua justiça. É impossível ter qualquer compreensão do amor de Deus separada da mensagem do poder expiatório da cruz de Cristo"[11].

Não devemos rejeitar a influência moral da expiação ou seu ponto de vista dramático. Contudo essas verdades repousam ambas sobre a substituição de Cristo, que em nosso lugar suportou nossa punição e satisfez a justiça de Deus. "A substituição penal não é, como sugerem alguns, um modelo ilustrativo no meio de muitos entre os quais podemos escolher o que mais gostamos. É o *modelo primário* do qual todos os outros dependem"[12].

Os pontos de vista dramático e exemplar estão arraigados no ponto de vista substitutivo, pois este é o ponto de vista verdadeiramente trinitariano. A visão clássica apresenta a expiação como uma transação entre Deus e Satanás. Mesmo se o resgate não for pago a Satanás, a expiação é vista como uma transação entre Deus e a humanidade. Porém, na visão substitutiva, a expiação é uma transação entre Deus e Deus; entre o Pai e o Filho pelo Espírito. É um evento *dentro de* Deus. A salvação começa com Deus, é realizada e aplicada por Deus. Quaisquer que sejam as deficiências da compreensão de Anselmo quanto à expiação, esta era sua grande descoberta: reconhecer que a expiação era uma obra divina entre as pessoas de Deus. "Anselmo entendeu, de uma maneira que muitos de seus precursores não entendiam", diz Gerald Bray, "que a obra de Cristo, de expiação sobre a cruz, era *obra de Deus de dentro da Trindade*. O Filho oferece a si mesmo como sacrifício ao Pai, e é o Espírito Santo que agora torna efetivo esse sacrifício na vida do cristão"[13]. Isso significa que a expiação é inescapavelmente trinitariana, porque só é compreensível

---

11   Gerald Bray, *The Doctrine of God*, IVP, 1993, p. 222.
12   Mark Meynell, *Cross-Examined:* The Life-Changing Power of the Death of Jesus. IVP, 2001, p. 108.
13   Gerald Bray, *The Doctrine of God*, p. 192.

se Deus for uma Trindade de pessoas. Se Deus não fosse Trindade, quem ofereceria o sacrifício a Deus? Se Deus o fosse oferecer, quem o receberia? A expiação — morte de Cristo *por* nós — é uma transação que ocorre dentro da Trindade. O Filho faz satisfeito o Pai, oferecendo-lhe a si mesmo como sacrifício, tomando sobre si, em nosso lugar, a ira de Deus. Roger Nicole diz:

> A tarefa redentora não foi realizada por um terceiro partido que entrou na briga entre o Pai e o pecador, mas pela maravilhosa expressão do amor e graça do Deus trino que, apesar do caráter indesculpável da ofensa humana, foi suficientemente gracioso para oferecer um plano de salvação, efetuando ele mesmo tudo que era necessário para o cumprimento desse plano (a obra de Cristo), aplicando sobre o pecador os benefícios que foram garantidos por sua obra enquanto Mediador encarnado (a obra do Espírito Santo).[14]

Somente Deus pode oferecer satisfação por nossos pecados. Estamos todos contaminados pelo pecado e condenados por Deus. Não há pessoa humana — exceto o homem-Deus — que possa dar um passo em sentido à realização da expiação. Só Deus, como alguém que não foi condenado por seus próprios atos, pode suportar o juízo de outros. Mesmo se uma pessoa perfeita pudesse ter sido encontrada como substituta ao pecado, só poderia expiá-lo morrendo eternamente, e não seria possível expiar os pecados de todo o povo de Deus. Não haveria obra completa — só expiação perpétua. Somente um Deus infinito pode carregar toda a penalidade da condenação eterna de todos quantos creem. Enquanto pendia da cruz, era como se o Filho dissesse ao Pai: "agora dê a meu povo o que meus atos merecem". A salvação é o ato do Pai combinado à entrega de si mesmo feita pelo Filho.

---

14 Roger Nicole, "The Meaning of the Trinity". In: Peter Toon; James D. Spiceland (ed.). *One God in Trinity*. Samuel Bagster, 1980, p. 8.

Todavia, não basta que Deus morra. Deus tem de desamparar e ser desamparado. Tem de julgar e ser julgado. Deus morreu por nós e ficou satisfeito. Isso não poderia ser verdade sem que houvesse a Trindade. Só a Trindade torna possível entender a cruz como a expiação por nossos pecados.

Existe um debate quanto à natureza divina de Jesus ter morrido na cruz ou se foi apenas sua humanidade[15]. Se o Verbo divino de Deus tivesse cessado de existir, argumentam, então o universo, que é sustentado por sua palavra, teria entrado em total colapso. No entanto, esse argumento emprega uma falsa definição de morte. Em termos bíblicos, a morte é mais do que o fim de uma existência. É uma existência sem Deus. É precisamente isso que o Filho sofre. Desamparado por Deus, aquele que morre é o Filho de Deus.

Desafios à substituição

Recentemente, o ponto de vista substitutivo da expiação foi atacado por Steve Chalke e Alan Mann, em seu livro *The Lost Message of Jesus*. Chalke e Mann classificam a ideia da substituição penal como uma forma de "abuso infantil cósmico" — um Pai vingativo que pune seu Filho por uma ofensa que este não cometeu[16]. Há inúmeros problemas com essa caricatura da substituição. Chalke e Mann dizem que a substituição não reflete a ordem de Deus de não pagar o mal com o mal. Todavia, quando olhamos este mandamento dentro de seu contexto, descobrimos que a razão pela qual não podemos pagar o mal com o mal é que a vingança pertence a Deus (Romanos 12.14-21). Deixamos de ser vingativos, não porque Deus não julga o mal, mas porque ele realmente o julga! Por isso é que não podemos tomar as coisas em nossas próprias mãos. Deus julgará as pessoas no último dia (Romanos 2.1-16) ou *já as julgou* em Cristo na cruz.

---

15 Wayne Grudem. *Systematic Theology*. Zondervan/IVP, 1994, p. 560.
16 Steve Chalke; Alan Mann. *The Lost Message of Jesus*. Zondervan, 2003, p. 182.

Mas o principal problema com essa visão de expiação substitutiva é que ela assume uma visão da cruz que não é trinitariana. Presume que Pai e Filho são indivíduos separados. É realmente injusto que uma pessoa castigue outra por crimes que ela não cometeu. No entanto, o Filho não é outro indivíduo. O divino Pai e o Filho são um — compartilham uma só vontade, um amor, e um só ser. Conforme vimos no capítulo quatro, uma visão trinitária da cruz evita pensarmos que um Pai indisposto seria aplacado pelo Filho ou que um Filho indisposto fosse vitimado pelo Pai. Pai e Filho têm uma mesma vontade e um mesmo amor. Determinaram *juntos* salvar um povo eternamente, mediante a morte do Filho em nosso favor. Partilham um mesmo ser. Deus não está castigando a outro. Ele pune a si mesmo.

Este relacionamento entre expiação e Trindade opera nas duas direções. A Trindade é o fundamento da expiação e a expiação a revelação máxima do caráter trinitário de Deus. Uma ênfase exclusiva no ponto de vista exemplar da expiação tende a andar de mãos dadas com o ceticismo em relação à Trindade e à divindade de Cristo, assim como à ira divina, ao pecado original e à singularidade única de Cristo. Uma vez abandonado o entendimento trinitário de Cristo, é difícil fazer sentido a cruz, senão como um ideal a que devemos aspirar ou um exemplo do poder transformador do amor que entrega a si mesmo.

> O pluralismo e a teologia do exemplo moral da expiação andam juntos... parecem se enquadrar confortavelmente ao espírito tolerante e humanista da presente era, evitando a ofensa de Cristo e sua cruz ao reduzi-los a um caminho de autossalvação. Em conclusão, porém, tal atitude é totalmente não cristã. Cede às filosofias e espiritualidades românticas que não levam à sério a condição humana, nem a graça da cruz[17].

---

17 Roger E. Olsen. *The Mosaic of Christian Belief:* Twenty Centuries of Unity and Diversity. IVP/Apollos, 2002, p. 253.

A doutrina da Trindade protege o gracioso caráter do amor divino. Deus não é "alguma coisa amável" — ele é amor, pois uma comunidade eterna de relacionamentos amáveis. Quando nos ama, não o faz porque alguma qualidade em nós desperta seu amor. É caso oposto: Deus nos ama *a despeito de* quem nós somos. "Mas Deus prova o seu próprio amor para conosco pelo fato de ter Cristo morrido por nós, sendo nós ainda pecadores." (Romanos 5.8).

Deus não é amor assim como é ira. Sua ira é resposta ao nosso pecado, porém seu amor não é resposta a nós. Seu amor não depende da amabilidade daquele que é amado. É ato de pura graça. Ele nos ama porque *é* amor, não por sermos amáveis. Ele é. E é amor porque é uma Trindade eterna de pessoas em um relacionamento amável.

> Essa é a grande verdade que Anselmo da Cantuária descobriu, ao escrever que o sacrifício e morte do Filho eram, acima de tudo, sacrifício feito ao Pai, em prol de seres humanos pecadores. Cristo é nosso representante, ou Mediador, no trono do julgamento divino, onde seu sacrifício permanece como nosso rogo de perdão. Sem o amor do Filho pelo Pai, que primeiro o levou a fazer o sacrifício, sem o correspondente amor do Pai pelo Filho, pelo qual foi aceita a obra do Filho e declarada sua palavra de perdão por nós, nossa salvação não poderia ter ocorrido. Além de tudo, sem o amor do Espírito Santo pelo Pai e pelo Filho, mediante o qual nos traz tal mensagem que ressoa às profundezas de nossos corações, a obra de amor de Cristo não teria significado prático em nossa vida. O amor interno das pessoas da Trindade é a base de nossa redenção, e no coração desse amor encontramos tanto a ira quanto a misericórdia de Deus[18]

---

18 Gerald Bray, *The Doctrine of God*, p. 222-223.

Implicações pastorais

Imagine que uma amiga a procure. Sarah não se sente segura quanto a seus pecados terem sido perdoados por Deus. Sente vergonha e culpa. Quando criança, foi abusada por seu pai e carregou as cicatrizes emocionais até a vida adulta. Como você falará com Sarah? Poderia lhe dizer que Deus a ama e apontar para a cruz (o modelo exemplar da expiação). Mas isso, por si só, seria pouco mais que um abraço divino sobre os ombros. Promete perdão, no entanto não oferece segurança real, pois o problema do pecado permanece não resolvido. E isso não endireita em nada as coisas para Sarah. Sugere, então, que os pecados cometidos contra ela realmente não são importantes, porque Deus pode escolher ignorá-los. Um amor que ignore a justiça não é verdadeiramente amor.

Poderia-se dizer a Sarah que ela está livre do seu passado — não precisa mais ser atordoada por seus demônios emocionais (a versão dramática da expiação). Tal fato pode ser verdade, mas novamente, oferece pouca segurança. Ela ainda peca. Permanece o medo de Deus. Tanto as visões da expiação exemplar quanto da expiação dramática deixam sem resolução o juízo de Deus contra o pecado. Não conseguem reconciliar o amor de Deus com sua justiça.

Um pouco do senso de vergonha de Sarah, sem dúvida, não é apropriado — é resultado de ter sido vítima do abuso de seu pai. Talvez você tenha de desembaraçar da culpa verdadeira a falsa culpa. Porém Sarah é culpada. Ela é pecadora. Não podemos consolar as pessoas diminuindo ou desprezando a culpa que possuem. Isso não dá certo porque não é verdade. Palavras vazias de segurança não irão consolar um pecador culpado. Todavia podemos encher nossas palavras de segurança com um conteúdo autêntico, apontando para o sacrifício de Cristo na cruz. A cruz não minimiza nosso pecado nem a ira de Deus contra ele. Na verdade, é a cruz que nos mostra o quanto somos pecadores e toda a extensão do juízo de Deus. Somos tão pecadores que a única solução para nosso pecado foi a morte do próprio Deus na pessoa de seu Filho. Por sua morte, Jesus toma nossa culpa e carrega sobre si nosso castigo. Deus é visto como Deus justo, que pune o pecado; e ao mesmo tempo o Deus amoroso, que perdoa os pecadores. O Deus trino julga e é julgado. Isso oferece verdadeira esperança à Sarah.

Ela também poderá ter confiança de que receberá justiça. Deus se importa com as vítimas do pecado. Poderá também estar confiante de que é perdoada. O problema de seu pecado não foi simplesmente deixado de lado, para ainda espreitar nos bastidores. O pecado foi tratado final e completamente. O juízo de Deus não foi ignorado — ele mesmo o suportou plenamente. O amor de Deus por Sarah — por você e por mim — tem conteúdo verdadeiro. "Deus prova o seu próprio amor para conosco pelo fato de ter Cristo morrido por nós, sendo nós ainda pecadores." (Romanos 5.8).

Capítulo 10

A TRINDADE E A HUMANIDADE

> Fomos feitos à imagem do Deus triuno. Encontramos nossa identidade por meio dos relacionamentos. Assim como em Deus existe tanto a unidade quanto a pluralidade, do mesmo modo a identidade comunal não deve suprimir a identidade individual e esta não deverá negligenciar aquela. Por nossa união com Cristo pela fé, os cristãos estão sendo refeitos à imagem do Deus trino. A igreja deveria ser uma comunidade de unidade sem uniformidade, e diversidade sem divisão.

Imagine que os líderes de sua igreja pedissem para que lhes trouxesse as últimas três declarações de seu saldo bancário e os recibos das folhas de seu pagamento para a próxima reunião da igreja. Explicam que vamos conversar sobre a situação financeira uns dos outros, para concordar sobre o que você deve fazer com seu dinheiro. Qual seria sua reação? Talvez até pense que seja uma boa ideia, no entanto, suspeito que a reação inicial da maioria dos crentes seria de revolta. "Do meu dinheiro cuido eu", podemos dizer. "Não quero que outras pessoas me digam o que tenho de fazer com meu dinheiro. Ganhei com meu trabalho e decido como gastar".

Com certeza, essa é a atitude comum em nossa sociedade. Somos uma sociedade de indivíduos. A possibilidade de escolha e a liberdade pessoal são tudo na vida. O discurso político é todo sobre os direitos individuais dos consumidores. Não queremos nos responsabilizar pelos outros. No final, só tenho de responder por mim mesmo. Contudo, quando as outras pessoas também só respondem por si mesmas, o resultado é fragmentação e isolamento.

A vida de Deus é muito diferente disso.

1. Deus é uma comunidade trina

Considere as palavras finais da oração de Jesus na noite anterior à sua morte:

> Não rogo somente por estes, mas também por aqueles que vierem a crer em mim, por intermédio da sua palavra; a fim de que todos sejam um; e como és tu, ó Pai, em mim e eu em ti, também sejam eles em nós; para que o mundo creia que tu me enviaste. Eu lhes tenho transmitido a glória que me tens dado, para que sejam um, como nós o somos; eu neles, e tu em mim, a fim de que sejam aperfeiçoados na unidade, para que o mundo conheça que tu me enviaste e os amaste, como também amaste a mim.
>
> Pai, a minha vontade é que onde eu estou, estejam também comigo os que me deste, para que vejam a minha glória que me conferiste, porque me amaste antes da fundação do mundo.
>
> Pai justo, o mundo não te conheceu; eu, porém, te conheci, e também estes compreenderam que tu me enviaste. Eu lhes fiz conhecer o teu nome e ainda o farei conhecer, a fim de que o amor com que me amaste esteja neles, e eu neles esteja. (João 17.20-26).

É como se uma câmera se aproximasse cada vez mais dos atos da história e estivéssemos sendo envolvidos no ser eterno de Deus. Por um momento, vemos a vida interna de Deus. Três vezes Jesus fala do amor do Pai por ele (João 17.23, 24; 26). Jesus ora para que os que confiam em seu nome "vejam a minha glória que me conferiste, porque me amaste antes da fundação do mundo." (João 17.24). Desde toda a eternidade a Trindade existe em amor. Deus não é um indivíduo solitário, mas uma comunidade divina. Deus é "pessoas em relacionamento".

Todavia a Trindade é mais que uma família unida. As pessoas da Trindade compartilham uma natureza divina. Trata-se de uma comunidade de *ser*. Em João 17.21, Jesus ora para que aqueles que vierem a crer nele sejam um, assim "como és tu, ó Pai, em mim e eu em ti". Novamente, em João 17.23, ele fala de "tu em mim". Dirigindo-se ao Pai, Jesus ora para que seus discípulos sejam um "como nós o somos" (João 17.22). Pai, Filho e Espírito habitam mutuamente um no outro. O Pai está *no* Filho. O Filho está *no* Pai. Ver o Filho é ver o Pai (João 14.9). "Eu e o Pai somos um", diz Jesus (João 10.30).

É como se as três pessoas habitassem um único ser divino. Conforme vimos anteriormente, a fim de expressar tal ideia, os Pais capadócios desenvolveram o que ficou conhecida como a ideia da *pericórese*. Cada pessoa da Trindade partilha da vida das outras duas, de modo que em cada pessoa o ser do único Deus é plenamente manifesto. O eterno Deus em si mesmo é uma comunidade amável e habitação mútua.

2. Somos feitos à imagem da comunidade trina

Em Gênesis 1 disse Deus: "Façamos o homem à nossa imagem, conforme a nossa semelhança; tenha ele domínio sobre os peixes do mar, sobre as aves dos céus, sobre os animais domésticos, sobre toda a terra e sobre todos os répteis que rastejam pela terra. Criou Deus, pois, o homem à sua imagem, à imagem de Deus o criou; homem e mulher os criou." (Gênesis 1.26-27). Algumas pessoas dizem que somos feitos à imagem do único Deus, frequentemente definindo tal imagem em termos de nossa racionalidade. Outros sugerem que somos feitos à imagem do Filho, pois a Bíblia fala sobre os cristãos sendo refeitos à imagem de Cristo.

Entretanto o texto sugere que somos criados à imagem da Trindade. A passagem fala de Deus como um e muitos. "Deus criou o homem em sua própria imagem" — a unidade de Deus. "*Façamos* o homem à *nossa* imagem" — a pluralidade de Deus. Ser criado à imagem de Deus parece envolver governar, sob o governo divino, acima da criação. Não obstante, envolve também partilhar da racionalidade de Deus. Fomos feitos para relacionamentos à imagem do Deus que é três em um. Feitos para a pluralidade e para a unidade: "à imagem de Deus [ele] *o* criou" — essa é nossa unidade; "Homem e mulher [ele] *os* criou" — esta, nossa pluralidade.

O um e os muitos

Na Trindade, um e muitos são perfeitamente integrados. Unidade e diversidade são realizadas plenamente. A unidade de Deus não compromete a diversidade das pessoas, e a diversidade das pessoas não compromete a unidade divina. É assim que deve ser na sociedade humana. A humanidade é modelada sobre a comunidade trina. O um e os muitos devem ser integrados. Deus é diverso, do mesmo modo nós somos pessoas diversas, cada qual com sua própria individualidade. Deus é também um, e nós também possuímos identidades comunais.

A sociedade humana não é um todo unificado em que a comunidade tem maior importância que os indivíduos, também não é formada por indivíduos levemente conectados. Nem uma visão coletivista nem uma visão individualista da sociedade reflete nossa verdadeira humanidade. O Cristianismo trinitário oferece uma maneira de sermos humanos juntos, uma maneira que integra e diversifica. Somos pessoas em uma comunidade, sem que percamos nossas próprias identidades pessoais.

Mas não é assim que as coisas são. Quando a humanidade se rebelou contra Deus em Gênesis 3, Adão, Eva e a serpente formaram um *triunvirato em conflito*, que passava a culpa de um para o outro. A comunidade foi quebrada. Assim, em Gênesis 4, Caim mata Abel. A sociedade humana fica quebrada e fragmentada. Desde então, temos falhado em integrar o um e os muitos, o comunal e o individual.

Os muitos sobre o um

Às vezes particularizamos de modo a tornar a diversidade divisão. Observamos tal fato no individualismo. O Cristianismo bíblico dá dignidade ao indivíduo enquanto pessoa criada à imagem de Deus. Vinoth Ramachandra argumenta que "a maioria das formas de liberalismo político é derivada da tradicional crença protestante na inerente dignidade do indivíduo e o consequente direito da consciência individual", porém, continua o autor, "ao tornar o indivíduo absoluto, isso se torna uma filosofia do individualismo, ou seja, o dogma de que eu posso ser eu mesmo sem o meu próximo."[1]. Como diz Peter Lewis: "O centro do universo está ficando um tanto abarrotado"[2].

No início do filme *About a Boy*[3], a personagem central, Will Freeman, diz:

> Na minha opinião, todos os homens são ilhas. Ainda mais agora, este é o tempo de ser uma. Esta é uma época de ilhas. Por exemplo, há cem anos, a gente tinha de depender de outras pessoas. Ninguém tinha TV, CDs, DVDs, vídeos ou máquina de café expresso em casa. Na verdade eles não tinham nada legal, mas hoje,

---

[1] Vinoth Ramachandra. *Gods That Fail:* Modern Idolatry and Christian Mission. Paternoster, 1996, p. 22.
[2] Peter Lewis. *The Message of the Living God*. IVP, 2000, p. 293.
[3] *Um Grande Garoto* (*About A Boy*, 2000), direção de Chris e Paul Weitz, roteiro de Peter Hughes. Baseado no romance de Nick Hornby (Penguin, 2000).

veja você, é possível criar para si um pequeno paraíso de ilha. Com os suprimentos certos e, mais importante, a atitude certa, você pode ser banhado pelo sol tropical, um ímã para jovens turistas suecas. Gosto de pensar que talvez eu seja essa espécie de ilha. Gosto de pensar que sou bastante maneiro. Gosto de pensar que eu sou Ibiza.

É esse o credo do individualismo. Contudo, conforme o filme avança, a personagem aprende que isso não é verdade. O filme termina com Freeman celebrando o natal com um grupo associado de pessoas díspares, que formam uma comunidade em que ele encontra identidade e o sentimento de pertencer a ela.

O um sobre os muitos

Em contraste ao individualismo, as sociedades humanas por vezes se universalizam tanto que a unidade se torna uniformidade. Vemos isso nos regimes totalitários, em que o Estado restringe a liberdade pessoal e constrange a expressão individual. Para o totalitarismo e para o terrorismo, os seres humanos enquanto indivíduos são descartáveis; em busca da causa humana individual — "os muitos" são totalmente subservientes ao "um". As instituições fazem o mesmo: não podem acomodar a diversidade. As questões dos indivíduos podem ser suprimidas para proteger a organização ou igreja.

Reconhecemos isso também nos imperialismos mais sutis. Sentimo-nos perdidos em um mundo no qual, tão ironicamente, cada um tem de se definir para si mesmo, pois o subproduto do individualismo é frequentemente um desejo de conformidade. Vemos isso na *"McDonaldização"* do mundo — uma cultura global homogênea que espalha, destrói ou nulifica as culturas locais. Peter Lewis diz: "Somos estimulados a expressar e promover nossa própria autoimagem, mas todo mundo está fazendo a mesma coisa, e assim isso perde sua força, sua relevância e até mesmo sua razão de ser. Na era que mais afirma nossa individualidade, a estamos perdendo"⁴. Colin Gunton diz, "As pressões da modernidade são pressões para a homogeneidade. A exemplo a cultura consumista, que impõe uniformidade social em nome da escolha — propagandas da Coca-Cola em vilarejos do mundo todo... A modernidade é o âmbito dos paradoxos: uma era que busca liberdade e gera totalitarismos"⁵. Este desejo de uniformidade é mais sinistro quando não permitimos espaço para pessoas diferentes de nós, sejam elas imigrantes que vivam em nossa comunidade ou crianças deficientes que tenham de ser abortadas.

Pessoa em relacionamento

A chave para integrar um e muitos encontra-se no entendimento trinitário da pessoalidade. Posto que a humanidade é feita à imagem da Trindade, tornamo-nos realmente humanos quanto mais espelharmos tal imagem. A pessoalidade na Trindade não é definida em oposição às outras, mas por meio de um relacionamento com elas. "As pessoas não entram simplesmente em relações umas com as outras, mas são constituídas, umas pelas outras, nas relações"⁶. O Pai é Pai porque tem um Filho, e assim em diante. Pai, Filho e Espírito não são pessoas porque operam independentemente uma das outras. São pessoas em seus relacionamentos uma com as outras. Na verdade, conforme vimos, sua pessoalidade é realizada na total interdependência de um relacionamento *pericorético*. Deus é "pessoas em relacionamento".

A pessoalidade humana pode ser análoga somente à pessoalidade divina. Sendo, porém, como somos, criados à imagem da Trindade, a pessoalidade humana realiza-se mediante relacionamentos, assim

---

4   Peter Lewis, *The Message of the Living God*, p. 293.
5   Colin Gunton. *The One, The Three and the Many:* God, Creation and the Culture of Modernity. CUP, 1993, p. 13.
6   Colin Gunton, *The One, The Three and the Many*, p. 214.

como se dá com a pessoalidade divina. A doutrina da Trindade nos mostra que os relacionamentos são essenciais à pessoalidade. A "pessoa" é como uma "mãe" ou um "filho". Esses não possuem significado à parte dos relacionamentos com as outras pessoas. Não se pode ser mãe sem filho, filho sem pais ou pessoa "sem relacionamentos". O que define a mãe é o fato dela ter um filho. O que define uma pessoa é o fato de que ela está em relacionamento com outras pessoas. Colin Gunton fala de "uma doutrina da *pericórese* humana" em que "pessoas constituem-se mutuamente, uma com a outra, fazendo com que cada uma seja aquilo que elas são"[7].

Isso é o oposto do individualismo. O individualismo define a individualidade como diferença. Quando perguntam quem somos, muitas vezes respondemos em termos de nossa diferença em relação às outras pessoas. Se, para ser diferente, eu tingisse de vermelho meu cabelo, talvez dissessem que eu estava "expressando minha individualidade". A identidade é definida pela diferença. Porém, a verdadeira identidade é encontrada nos relacionamentos. Encontro minha identidade como marido de minha esposa, pai de minhas duas filhas, membro de uma comunidade cristã, e filho de Deus.

Isso significa que quando agimos de modo a diminuir tais relacionamentos, nós nos desumanizamos.

"Precisamos do outro para saber quem somos, e é dos outros que recebemos nosso valor. Quando nos tornamos lei para nós mesmos, quando nos jactamos de nossa autossuficiência para então nos entregar ao individualismo grosseiro e inflado, quando somos autodeterminados e criamos nossa própria ética ou posição, despreocupados com o que os outros pensam ou esperam de nós, começamos a nos perder"[8].

Se buscarmos realização profissional em detrimento de nossos filhos, não realizamos nossa individualidade — nos desumanizamos.

---

7   Colin Gunton. *The One, The Three and the Many*. p. 169.
8   Peter Lewis, *The Message of the Living Deus*, p. 294.

Se escolho o divórcio porque o casamento não supre minhas necessidades individuais, estou me desumanizando. A "perda de independência no casamento não é um empobrecimento", diz Donald Macleod. "É um enriquecimento entrarmos em uma vida de amor e serviço mútuos"[9]. Se uma sociedade se organiza ao redor dos direitos individuais de consumidores, ou diminui as obrigações mútuas, ela estará empobrecendo seus membros.

Este individualismo tem suas sementes no foco de Agostinho sobre a mente humana, a qual considera melhor refletir a imagem de Deus em nosso interior. Um século depois de Agostinho, o filósofo cristão Boécio (Boethius) formulou aquilo que provou ser uma influente definição de pessoa: "uma substância individual de natureza racional". Tal definição veio a frutificar na declaração de René Descartes: "Penso, logo existo". A pessoa é um indivíduo solitário e racional.

Todavia, se o que me torna humano for minha racionalidade, meus direitos, ou qualquer outra característica supostamente universal da humanidade, então será difícil dizer o que é que me faz único. "Se você for verdadeiro e importante... como portador de algumas características gerais, o que o faz distintivamente você torna-se irrelevante"[10]. Estou perdido na massa da humanidade.

Porém, se os relacionamentos definem minha humanidade, a história é diferente. A matriz dos relacionamentos dos quais faço parte são singulares para mim. O papel que desempenho dentro deles define minha distinção. "Tudo... é o que singularmente é em virtude de sua relação com tudo mais"[11]. No entanto, porque sou definido por relacionamentos, essa singularidade não

---

9   Donald Macleod. *Shared Life: The Trinity and the Fellowship of God's People*. Christian Focus, 1994, p. 56.
10 Colin Gunton, *The One, The Three and the Many*, p. 46.
11 Colin Gunton, *The One, The Three and the Many*, p. 173.

leva a uma existência solitária e fragmentada. Encontramo-nos ao nos relacionar com os outros, não por nos distanciar deles. Encontramo-nos no dar e receber. Não somos totalmente o sujeito ativo do individualismo, nem o objeto passivo do coletivismo. "O coração do ser humano e de sua ação é uma relação cuja dinâmica é dar e receber"[12].

Quando os casamentos ou nossa condição de pais são deficientes em relação ao amor e sua generosa autoexpressão e autoentrega, e nossos velhos, doentes, deficientes, pobres ou desprotegidos são ignorados e desprezados, a vida do Deus trino não está sendo refletida em nossa humanidade como deveria — a própria pessoalidade é ferida e reduzida. Onde falte o reconhecimento do próximo, onde bondade, gratidão e cuidado estiverem ausentes, a pessoa que deixou essas coisas para trás, por mais bem sucedida que seja em outros aspectos, encolheu, e não cresceu em termos de sua verdadeira pessoalidade. São diminuídos, não ampliados, na sua autossuficiência.[13]

3. Somos refeitos à imagem da comunidade triuna
Ao participarmos em Cristo pela fé, participamos da divina comunidade. João 17.20-26 é difícil de ler, pois os pronomes nos tomam de surpresa. "Eu neles e vós em mim..." diz Jesus, e esperamos que ele continue: "vós neles"; mas, com efeito, ele diz: "vós em mim" (João 17.23). Em João 17.21 Jesus diz ao Pai: "Tu estás em mim e eu em ti". Essa é a vida *pericorética* da Trindade. Contudo, em João 17.23, Jesus está nos discípulos e o Pai está em Jesus. Nossa participação em Cristo significa participação na Trindade. Compartilhamos da vida trinitariana. O Pai nos ama com o mesmo amor com que ama o Filho (João 17.24). Somos

---
12 Colin Gunton, *The One, The Three and the Many*, p. 225.
13 Peter Lewis, *The Message of the Living God*, p. 294.

parte da família. O Pai é nosso Pai. O Filho é nosso Irmão. O Espírito habita em nós.

Deste modo, a Trindade deverá ser nosso *modelo* enquanto integramos o um e os muitos. Todavia, mais do que um modelo, para os cristãos, é a nossa vida. *Participamos* da comunidade trinitária mediante o Espírito Santo. Jesus não diz simplesmente que "eles sejam *parecidos* conosco", mas que "eles também estejam *em nós*" (João 17.21). Paul Fiddes afirma que "devemos complementar a *imitação* de Deus com uma tentativa completa de falar da *participação* em Deus"[14]. O perigo da imitação é que perdemos o mistério da Trindade e pensamos nela apenas como modelo para a comunidade humana.

Participamos da comunidade trinitária porque estamos unidos a Jesus pelo Espírito. Pelo Espírito estamos em Cristo e Cristo está em nós. Talvez seja essa a melhor imagem que possamos ter da vida *pericorética* da Trindade. Ser habitado pelo Espírito não significa que exista uma cavidade em nosso coração que brilha com a presença do Espírito. É como se o Espírito compartilhasse conosco do mesmo espaço. Mediante o Espírito, Cristo habita em nós.

A igreja é a nova humanidade que está sendo refeita à imagem de Deus. "A inadequação manifesta da teologia da igreja", argumenta Colin Gunton, "é derivada do fato de que ela nunca foi séria e consistentemente arraigada em um conceito sobre o ser de Deus como triuno". Em vez disso, pensamos na Trindade como "uma das *dificuldades* da fé cristã". Porém, ao negligenciar esse assunto, falhamos em nos apropriar de "seu rico tesouro de possibilidades a nutrir uma autêntica teologia da comunidade"[15]. Na igreja, temos o auxílio do Espírito na luta para expressar a pluralidade e unidade de Deus; ser um e muitos sem fazer concessões a qualquer um deles. "Em Cristo nós que somos muitos,

---

14 Paul S. Fiddes. *Participating in God:* A Pastoral Doctrine of the Trinity. DLT, 2003, p. 29.
15 Colin Gunton. *The Promise of Trinitarian Theology.* T&T Clark, 1991, p. 58-59.

formamos um só corpo, e cada membro pertence a todos os outros" (Romanos 12.5).

Ver Deus primariamente como uma monarquia de uma única vontade, tende a revelar uma visão hierárquica da igreja. Uma visão trinitariana das pessoas divinas em relacionamento *pericorético*, por sua vez, tende a enunciar uma visão comunitária da igreja. "Quanto mais uma igreja é caracterizada por uma distribuição simétrica e descentralizada de poder e uma interação livremente afirmada, mais ela corresponde à comunhão trinitariana"[16]. Os impérios todos têm uma tendência à homogeneização. Eles impõem uma cultura comum e negam as diferenças. Todavia no "império" do Cordeiro, existe unidade com diversidade: "... grande multidão que ninguém podia enumerar, de todas as nações, tribos, povos e línguas" está unida em volta do trono e diante do Cordeiro (Apocalipse 7.9-10).

Fracassos evangélicos
Porém, o evangelicalismo tende a ter problema oposto, consoante a falta de compromisso para com a comunidade cristã. Talvez isso seja porque por vezes operamos com o *triteísmo funcional*. Refletimos o individualismo de nossa época. Concebemo-nos primeiramente como muitos indivíduos para então projetar tal concepção sobre Deus, fazendo-o à nossa própria imagem, enquanto Deus que se faz muitos ao preço de sua unidade. Conseguimos conceber um Pai, um Filho e um Espírito, mas não Pai, Filho e Espírito como um único ser. Dessa forma, nossas igrejas funcionam como grupos de indivíduos ao invés de comunidades interdependentes.

Reduzimos a ideia de sermos um no Espírito para a concepção da simples colaboração institucional. Tal fato está longe de ser

---

16 Miroslav Volf. *After Our Likeness:* The Church as the Image of the Trinity. Eerdmans, 1998, p. 236.

a fala de Paulo sobre pertencer um ao outro (Romanos 12.5). Em Filipenses 2.2, Paulo diz: "de modo que penseis a mesma coisa, tenhais o mesmo amor, sejais unidos de alma, tendo o mesmo sentimento". Isso poderia ser uma descrição da Trindade, mas de fato é uma descrição da comunidade cristã. A igreja está fundamentada em nossa participação na Trindade imanente (Deus em si) mediante a Trindade econômica (Deus por nós).

> A igreja é a instituição humana chamada em Cristo e no Espírito para refletir ou ecoar na terra a comunhão que é Deus na eternidade. A igreja, portanto, é chamada a ser um "*ser* de pessoas em relação", que recebe sua característica de comunhão em virtude de sua relação com Deus, sendo assim, capaz de refletir no mundo algo deste ser[17].

Na oração conhecida como bênção Apostólica, falamos da "comunhão do Espírito Santo" (2 Coríntios 13.14). Literalmente, é "a participação" ou "a comunhão" do Espírito. O Espírito cria comunidade. Mediante a obra reconciliadora de Cristo, o Espírito nos une, tornando-nos um só corpo. A verdadeira igreja pentecostal é uma comunidade — na qual as pessoas compartilham suas vidas e possessões umas com as outras (veja Atos 2.42-47).

A verdadeira igreja carismática é uma comunidade — comunidade em que existe unidade na diversidade e diversidade na unidade. Conforme Paulo descreve os dons carismáticos do Espírito, em 1 Coríntios 12, evidencia-se que o ponto central é a existência de ambas, a unidade e a diversidade, na igreja: "Ora, os dons são diversos, mas o Espírito é o mesmo. E também há diversidade nos serviços, mas o Senhor é o mesmo. E há diversidade nas realizações, mas o mesmo Deus é quem opera tudo em todos" (1 Coríntios 12.4-6). Há um só Espírito, um só Senhor e um só Deus — declaração

---

17 Colin Gunton, *The Promise of Trinitarian Theology*, p. 12.

claramente trinitariana. O mesmo Espírito concede dons a cada um; servimos ao mesmo Senhor; e o mesmo Deus opera em nós. Mas embora haja um só Espírito, ele dá diferentes tipos de dons. Mesmo que haja um só Senhor, existem diferentes modos de servi-lo. E ainda que haja um só Deus, ele opera em nós de maneiras diferentes. Nossas diferenças são, em graça, derivadas do Deus trinitário, e em serviço, oferecidas a ele. Assim, os muitos dons são dados com um propósito. "A manifestação do Espírito é concedida a cada um visando a um fim proveitoso." (1 Coríntios 12.7). Paulo dá uma lista com uma variedade de dons (1 Coríntios 12.8-11). Deus se deleita nessa variedade assim como é diferente cada floco de neve criado por ele. Ao mesmo tempo, para cada dom existe um propósito: o bem comum. Se perdermos de vista a necessidade da variedade de dons, acabaremos tendo uniformidade. Se perdemos de vista a necessidade de usar os dons para o bem comum, acabaremos tendo divisões.

O corpo de Cristo

Paulo desenvolve seu pensamento por meio da imagem do corpo: existe um corpo composto de muitos membros. É loucura pensar num corpo que consistisse inteiramente de mãos! No entanto, também é loucura pensar em um corpo dividido, com os membros tentando fazer coisas opostas. O corpo é unido pela cabeça. De mesmo modo, os cristãos são um corpo com um propósito, unidos pela cabeça — o Senhor Jesus. Tenho de reconhecer que o corpo precisa de mim, para que eu não me sinta inferior (1 Coríntios 12.15-20). Suponhamos, diz Paulo, que o pé, por não conseguir fazer o que faz a mão, pense que não é necessário. Logo cairíamos! Da mesma forma, seus dons são essenciais. Tenho de reconhecer também que preciso do corpo para que não me sinta superior (1 Coríntios 12.21-24). Consideremos que o olho, porque só ele pode enxergar, achasse que não precisa da mão. Logo estaríamos com problemas. A ideia é ridícula.

Mas o mesmo se aplica ao corpo da igreja. Precisamos uns dos outros. As contribuições de outras pessoas podem não ser espetaculares, porém são vitais. Paulo ainda diz que as partes mais fracas são, de fato, indispensáveis (1 Coríntios 12.24). O Espírito cria comunidade *por meio da* particularidade, não destruindo as diferenças. Deus nos uniu em um só corpo pela obra reconciliadora de Jesus Cristo e pela habitação do Espírito Santo. Devemos ser uma comunidade em que os humildes são honrados e todos se importam uns com os outros. Tendo os muitos se tornado um corpo, compartilhamos juntos tanto o sofrimento quanto a honra (1 Coríntios 12.25-26). Você já quebrou uma perna? Não é só a perna que fica incapacitada. O corpo todo encontra dificuldade para se locomover! No corpo de Cristo, o sofrimento de uma pessoa é sentido por todas. Quando um atleta ganha uma corrida, a medalha passa pelo pescoço, mesmo que foram as pernas que correram. No corpo de Cristo, a alegria de uma única pessoa é sentida por todas.

Certa vez, um amigo me dizia o quanto desejava ter os dons de outras pessoas da igreja. "Você está sendo individualista demais", respondi. Não sabia qual resposta ele esperava de mim, contudo, mais tarde, ele me disse que certamente não era aquela. Em lugar de invejar os dons das outras pessoas, expliquei, ele deveria se regozijar nos dons da *nossa* igreja. Em sentido muito real, os dons das outras pessoas seriam para benefício dele.

A Ceia do Senhor é frequentemente chamada de "comunhão". A palavra vem de 1 Coríntios 10.16, em que Paulo pergunta: "Porventura, o cálice da bênção que abençoamos não é a comunhão do sangue de Cristo? O pão que partimos não é a comunhão do corpo de Cristo?". O vinho nos lembra que participamos em Cristo pela fé. O pão, por sua vez, nos lembra que participamos um com o outro do corpo de Cristo. "Porque nós, embora muitos, somos unicamente um pão, um só corpo; porque todos participamos do único pão." (1 Coríntios 10.17).

Certa vez, conversei por telefone com um velho amigo que está deixando sua mulher para "encontrar a si mesmo". A doutrina da Trindade é diretamente relevante para ele. As pessoas da Trindade são definidas por seus relacionamentos. Existem em uma comunidade perfeita de amor — não absorvidas uma nas outras nem separadas uma das outras. Os seres humanos, criados à imagem do Deus trino, do mesmo modo encontram sua identidade em relacionamentos com o próximo, com o outro. Não "nos encontramos" ao nos separar, mas em relacionamentos. Assim a doutrina da Trindade fala a meu amigo que está deixando sua esposa. Fala também ao jovem estudante que pensa que pode ser cristão sem frequentar a igreja. Fala a pais que deixam seus filhos na creche o dia todo para que possam encontrar realização em seu trabalho. Fala à adolescente que sente estar presa por sua família. Fala ao líder de igreja que, por medo de perder sua autoridade, não permite que outros assumam responsabilidades na comunidade. Fala às famílias que só estão juntas quando assistindo à televisão. Fala ao jovem que não quer assumir compromisso de casar, porque teme perder sua preciosa liberdade.

A doutrina da Trindade não é uma vara com a qual possamos fustigar essas pessoas. Suas palavras são de boa-nova — boa-nova de que, em relacionamento com outras pessoas, encontramos nossa humanidade e, enfim, o relacionamento com o Deus relacional.

Capítulo 11

A TRINDADE E A MISSÃO

> A Trindade é uma comunidade missionária. O Pai enviou seu Filho e seu Espírito ao mundo para redimir seu povo. Assim, a Trindade é boa-nova. Diferentemente do deus do Islã, a Trindade é relacional. O pós-modernismo teme todas as afirmativas de verdade como sendo de coação. Deus, porém, não assevera sua identidade contra nós, mas nos convida a encontrar a verdadeira identidade compartilhando de sua comunidade. A apologética máxima para a Trindade está na comunidade cristã.

No capítulo anterior, vimos como a oração de Jesus em João 17 revela algo sobre a vida trinitária de Deus. Vimos, também, como participamos da vida trinitária mediante nossa união com Cristo. Neste capítulo, continuaremos a refletir sobre João 17, desta vez vendo suas implicações para a missão.

1. A Trindade é uma comunidade missionária

A palavra "missão" vem originalmente da doutrina da Trindade. Deriva-se do vocábulo latino *missio*, que significa "enviar". Era a palavra que os cristãos usavam para se referir ao envio do Filho e do Espírito ao mundo.

Somente no Século XVI é que os cristãos começaram a usar o termo para descrever o ato de enviar pessoas para difundir o evangelho[1]. A missão da igreja tem suas raízes no caráter missionário do Deus trino. Deus não é somente Deus em si mesmo (a Trindade imanente). É também Deus por nós (a Trindade econômica). Ele não permaneceu em si mesmo. Criou um mundo. Amou-o e continua amando-o, mesmo depois que esse mundo o rejeitou. Deus veio redimir seu mundo na pessoa de seu Filho e mediante o envio de seu Espírito. Três vezes em João 17.20–26, Jesus fala de ter sido enviado pelo Pai (João 17.21, 23, 25). O Filho conhece o Pai (João 17.25) e, como enviado, o Filho faz conhecido o Pai (João 17.26; ver também João 17.6-8). O Pai glorifica o Filho (João 17.22, 24). No Evangelho de João, a glória de Jesus inclui a cruz. Jesus é glorificado ao ser levantado sobre a cruz, porque por meio dela ele atrai as pessoas para si. E pela salvação de seu povo, Deus é glorificado (João 12.28, 31–32).

Experimentamos a Trindade pelo envio do Filho e do Espírito. Participamos na Trindade por meio da glorificação do Filho pelo Pai, ao recebermos a vida eterna em seu nome, mediante o Espírito. Deus não é somente relacional; ele abriu as relações trinitárias para nos incluir. Há um movimento exterior de envio e um de retorno de glorificação[2]. Esse duplo movimento abarca o mundo. Segundo Peter Toon: "Há um movimento de graça (criação, revelação e salvação), de Deus em direção ao mundo — do Pai por meio do Filho, no e pelo Espírito; há também um movimento de graça (fé, amor e obediência), do mundo em direção a Deus — ao Pai por meio do Filho, no e pelo Espírito Santo"[3].

Vemos esse duplo movimento na criação. O Pai cria o mundo pela palavra do Filho, palavra essa emitida pelo sopro do

---

1 David J. Bosch, *Transforming Mission:* Paradigm Shifts in Theology of Mission. Orbis, 1991, p. 227–228.
2 Para uma discussão a respeito das implicações desse duplo movimento para a Trindade imanente, veja David Coffey, Deus Trinitas: *The Doctrine of the Triune Deus.* OUP, 1999.
3 Peter Toon, *Our Triune God:* A Biblical Portrayal of the Trinity. Victor Books, 1996, p. 37.

Espírito. A criação devolve a glória a Deus quando o Espírito a faz glorificar o Pai pela mediação do Filho. E observamos este duplo movimento na salvação. O apóstolo João enfatiza o fato de que o Pai enviou o Filho. Do mesmo modo, o Pai, em nome do Filho, envia o Espírito. Então o Pai é glorificado, enquanto o Espírito faz com que as pessoas recebam a vida eterna mediante a fé no Filho. Por meio do Espírito, glorificamos o Pai pela mediação do Filho. A comunidade trinitária não é exclusivista. Deus abre a comunidade trinitária e nos leva e enleva nela. Em João 17.24 Jesus antecipa-se, dizendo que nossa participação em Deus encontrará cumprimento escatológico, quando partilharemos da glória do Deus trino.

2. A Trindade e a boa-nova

"A fim de que todos sejam um; e como és tu, ó Pai, em mim e eu em ti, também sejam eles em nós; para que o mundo creia que tu me enviaste", diz Jesus ao Pai (João 17.21). Essa identidade trinitária de Deus é a boa-nova. Colin Gunton acredita que uma parte do erro da teologia ocidental tem sido a ideia de que a Trindade seja um obstáculo à fé. Demasiadas vezes tal teologia começa com "alguma teologia natural essencialmente monoteísta". A visão resultante, de um "Deus" remoto, unitário, está por trás da crise do Cristianismo ocidental. "A teologia da Trindade", acredita Gunton, "... é, ou poderia ser, o centro de atração do Cristianismo para o descrente, como as boas-novas de um Deus que entra, com o mundo daquele que crê, numa livre relação de criação e redenção"[4]. Vimos como a Trindade é central ao nosso entendimento da revelação, salvação e humanidade. A Trindade é boa-nova porque significa que podemos conhecer a Deus, ser reconciliados com ele e verdadeiramente humanos. A seguir, vamos desenvolver essas ideias no diálogo com o Islã e com a pós-modernidade.

---
4   Colin Gunton, *The Promise of Trinitarian Theology*. T&T Clark, 1991, p. 7.

Islã

"Não existe deus senão Alá, e Maomé é seu profeta", tal é o credo central do Islã. O Alcorão rejeita explicitamente a Trindade, fazendo caricatura dela como uma Trindade de Deus, Maria e Jesus[5]. Diz o Alcorão: "[Alá] é Deus somente, Deus, o Eterno. Ele não gera e não é gerado. Não existe nenhum coigual a ele"[6]. De acordo com a tradição muçulmana, fazer tal confissão retira os pecados como um homem tira as folhas de uma árvore outonal[7].

Na realidade, essa unidade de Alá apresenta problemas para os teólogos muçulmanos. Estes têm debatido se os atributos de Alá são eternos. Se Alá conhece tudo eternamente, então o objeto de seu conhecimento eterno tem de estar dentro dele mesmo — isso sugere uma diferenciação dentro de Alá. Um debate similar quanto à natureza do Alcorão foi resolvida no Século IX, quando estudiosos muçulmanos concordaram que um protótipo celestial do Alcorão, não criado, existia eternamente.

O Alá unitário do Islã é remoto e impossível de conhecer. "Em um sentido real, a consciência muçulmana de Alá é uma percepção daquilo que é desconhecido"[8]. O Islã fala do *tanzih* (qualidade de separação) e do *mukhalafah* (qualidade de ser outro) de Alá. Alá é completamente removido de nós[9]. O *Alcorão* diz revelar a vontade de Alá, mas não revela ele próprio. A palavra "Islã" significa "submissão". Embora quase todo *Surah* (capítulo) do *Alcorão* comece dizendo: "Em nome de Alá, o Beneficente, o Misericordioso", a misericórdia de Alá é somente sua recompensa para aqueles que se submetem à sua vontade. Há pouco senso do amor divino e não há lugar algum para a paternidade de Deus[10].

---

5 *The Koran*, Surahs 4.167–170; 5.77 e 5.116.
6 *The Koran*, Surah 112.
7 Kenneth Cragg, *The Call of the Minaret*, OUP, 1956, p.39
8 Kenneth Cragg, *The Call of the Minaret*, p. 55
9 Martin Goldsmith, *Islam and Christian Witness*. OM, 1982, p. 87.
10 S. M. Zwemer, *The Moslem Doctrine of God*. American Tract Society, 1905, p. 100–102, 110–111.

O Islã é simplesmente uma religião de submissão *a* Deus; não um relacionamento *com* Deus.

Kenneth Cragg observa:

> [Para o Islã], a revelação não é concebida como uma comunicação do Ser Divino, mas somente da vontade Divina. Deus mesmo permanece não revelado... a revelação não é uma mostra pessoal do Divino.[11]

Portanto, Alá não tem relacionamento com pessoas. A ideia de que a humanidade possa ser feita à imagem divina — refletindo um Deus relacional e feita para ter um relacionamento com Deus — é considerada blasfêmia para o Islã. Por vezes se ressalta que no *Alcorão* Alá está mais perto da pessoa, "mais próximo que sua veia jugular". No entanto, o contexto não sugere um relacionamento íntimo, e sim que Alá observa, para o juízo, nossos atos e pensamentos[12]. "Frequentemente, os muçulmanos poderão sentir que Alá é tão distante em seu glorioso poder, que é impensável nos relacionarmos com ele em conhecimento pessoal e íntimo."[13]. No Islã folclórico, esse abismo está repleto de *jini* (espíritos), santos e talismãs.

Samuel Zwemer, o chamado "apóstolo do Islã", diz: "A ideia de Deus de Maomé é totalmente deísta. Deus e o mundo estão em oposição exclusiva, externa e eterna. Quanto a uma entrada de Deus no mundo ou qualquer espécie de comunhão humana com Deus, ele nada sabe"[14]. O caráter trinitário do Deus bíblico significa que aquele que é transcendente sobre a criação é também imanente dentro dela. Um deus unitariano tem de ser separado

---

11 Kenneth Cragg, *The Call of the Minaret*, p. 47.
12 *O Alcorão*, Surah 50.16.
13 Martin Goldsmith, *Islam and Christian Witness*, p. 90.
14 S. M. Zwemer, *The Moslem Doctrine of God*, p. 21.

e distante da criação (ponto de vista conhecido como "deísmo") ou então ser um com a criação (ponto de vista conhecido como "panteísmo"). Assim é no Islã. Cito novamente Zwemer: "O Islã é ao mesmo tempo deísta e panteísta. Os teólogos e filósofos têm visões panteístas de Alá, fazendo dele a única força do universo; o pensamento popular, no entanto, é deísta. Deus está acima e alheio à criação, só seu poder pode ser sentido."[15]

No final da estrada, onde nos congregamos como igreja, existe um centro sufi. Os sufis são um ramo místico do Islã, com fortes tendências panteístas. Num de seus textos, diz Alá: "O chão mais fundo do inferno... o paraíso mais alto, a terra e o que nela há, os anjos e demônios, espíritos e homens Sou Eu... a alma do mundo Sou Eu."[16]. Os sufis, com a ênfase na imanência de Deus, entram em conflito com os muçulmanos sunis, que são maioria e enfatizam a completa transcendência divina. "Para os *ulama*, (estudiosos) sunis, a doutrina da unicidade de Deus (i.e., ele ser um) tem ramificações, principalmente em termos de lei. Não é próprio dos seres humanos especularem sobre a natureza de Deus. Pelo contrário, é seu dever obedecer aos seus mandamentos"[17].

O "deus" do Islã é remoto, porém o Deus trino governa o universo como também habita em nós pela fé. Em Êxodo 3.7–8 Deus ouve a condição de seu povo e promete "descer" até eles. Isso aponta para a encarnação. Em Jesus, Deus desceu e habitou entre nós. Jesus é Emanuel: "Deus conosco". Doravante ele envia seu Espírito para habitar em nós. O Filho é "Deus conosco" e o Espírito é "Deus em nós". Deus está perto. Porque trinitário, ele pode ser imanente sem perder sua transcendência e soberania. Porque trinitário, ele pode se revelar em seu Filho e nos capacitar a receber essa revelação por seu Espírito.

---

15 S. M. Zwemer, *The Moslem Doctrine of God*, p. 69–70.
16 Citado em S. M. Zwemer, *The Moslem Doctrine of God*, p. 61.
17 Malise Ruthven, *Islam*. OUP, 1997, p. 57.

O "deus" do Islá não se relaciona com as pessoas. Todavia nós podemos ter um relacionamento com o trino Deus, pois ele mesmo é um ser relacional. Existe e tem existido em comunidade trinitariana por toda a eternidade. Porque o Pai ama o Filho e o Filho o Pai, Deus pode nos amar. Ele nos fez à sua própria imagem de Deus relacional para que gozemos do relacionamento com ele. Deu também seu Filho como expiação pelo pecado, para que esse relacionamento possa ser restaurado. Estas são boas-novas: um Deus que pode ser conhecido e com quem podemos ter relacionamento. A oração não é apenas um dever religioso a desempenhar, mas uma conversa entre amigos.

Considere as outras possíveis alternativas de Deus ser eternamente trino: Poderíamos dizer que Deus não tem relacionamentos pessoais, e neste caso, nós possuímos uma capacidade (para relacionamentos) que o Deus onipotente não possui. Ou poderíamos dizer que, na eternidade, Deus era apenas *potencialmente pessoal*. Diante disso, os relacionamentos são algo que Deus acresce a si mesmo, no entanto não são essencialmente parte de como ele é. Isso, em último caso, tornaria Deus impessoal. Teríamos de dizer que ele precisou criar o mundo para aperfeiçoar a falta relacional em si mesmo. Não obstante, se Deus precisasse criar o mundo, o amor divino não seria gracioso (Deus agiria por uma necessidade interior própria) e a criação não seria livre (teria de satisfazer tal necessidade divina). Se Deus não for eternamente trino, ficamos "à mercê de um Deus menor, para o qual a pessoalidade, perante a criação, é insatisfeita em seu ser essencial"[18].

O "deus" não diferenciado do Islá pode criar uma visão social que tem dificuldade em acomodar a diversidade e as diferenças. Conforme salienta Malise Ruthven: "Se existe uma única palavra que represente o impulso primário do Islá, seja ela

---

18 Michael Ovey, "The Human Identity Crisis: Can We Do Without the Trinity?". In: *Cambridge Papers* 4:2. June 1995, p. 3.

teológica, política, ou sociológica, é a palavra *tawhid* — 'fazendo um', unicidade"[19].

O Islã da Idade Média era comumente caracterizado pela tolerância religiosa, com os judeus europeus encontrando nele mais tolerância do que no Cristianismo medieval. Hoje, porém, vemos outro Islã, em que a unicidade de Alá é refletida em uma visão social opressora. "Acho difícil ver", diz Robert Letham, "como o Islã, ou qualquer religião baseada na crença em um deus unitário, teria a possibilidade de explicar a personalidade humana, ou a *diversidade na unidade* do mundo. Não é de surpreender que as regiões islâmicas estão ligadas a sistemas políticos monolíticos e ditatoriais."[20]. Nesses contextos, a comunidade trina do povo de Deus, que adora um Deus trino e relacional, é realmente uma boa-nova.

Pós-modernismo
No Ocidente, contudo, enfrentamos uma realidade oposta. Nossa cultura pós-moderna é caracterizada pela fragmentação. Nossa sociedade parece ter perdido qualquer senso de unidade no universo. Até mesmo a palavra "universo" começa a parecer arcaica. Sugere uma realidade unificada. No entanto, nos dias atuais, interpretamos a realidade como totalmente plural. O mesmo se dá com a palavra "universidade". As universidades surgiram dos monastérios. Eram chamadas "*uni*versidades" porque lutavam por entender como nosso mundo diverso reflete a verdade última de seu Criador. Todavia esta visão há muito se perdeu na fragmentação e nas especializações que caracterizam o estudo acadêmico moderno.

O pós-modernismo é uma reação às tendências unitaristas do pensamento ocidental. Conforme vimos, a tradição ocidental tende ao modalismo. No Iluminismo, isso se deforma para o unitarismo.

---

19 Malise Ruthven, *Islam*, p. 49.
20 Robert Letham, "The Trinity – Yesterday, Today and the Future". In: *Themelios* 28:1. Autumn 2002, p. 34.

Tal visão unitária alimentou o unitarismo social do totalitarismo de Estado. Noutras palavras, a visão, na qual a realidade última é um ser não diferenciado, cria uma noção social marcada pela uniformidade opressiva. O pós-modernismo é uma reação a isso. Da unidade opressora passamos à diversidade fragmentada. O pós-modernismo entende como coação as afirmativas sobre a verdade. Para os pós-modernos, a verdade é uma questão de escolha individual. A modernidade reivindicava o direito de a pessoa decidir, pela razão, o que seria a verdade. No pós-modernismo, o indivíduo *determina* a verdade. O resultado é a fragmentação. Verdade, beleza e bondade são todas noções relativas, portanto não têm sentido. Isso não é um estado feliz de coisas.

Conforme vimos no capítulo anterior, a crença em um Deus trino significa que o um e os muitos são igualmente últimos. Podemos expressar a verdade universal sem oprimir a diversidade. Unidade e diversidade podem coexistir. O pós-modernismo acredita que todas as afirmativas de verdade são inerentemente coação; essa última verdade oprime a diversidade. Porém a pessoalidade, de acordo com o que vimos anteriormente, não se encontra na diversidade asseverando nossas diferenças, mas nos relacionamentos. Quando Jesus afirma *ser a* verdade, Deus não está asseverando sua identidade contra a nossa, e sim nos convidando a partilhar da sua comunidade; a ser verdadeiramente humanos; a encontrar nossa verdadeira identidade.

3. A Trindade é conhecida por meio da comunidade cristã

Como iniciamos uma conversa a respeito da Trindade? Como podemos responder às perguntas que as pessoas nos fazem? O melhor é começar com a história de Jesus. Quando observamos o que ele fez e disse, vemos características que mostram que ele é humano, mas também características que revelam ser ele divino. No final, na cruz, vemos Deus diferenciado de Deus, entretanto, nos unindo a ele. Ainda assim, qual é a apologética de João 17? Jesus ora:

> ...a fim de que todos sejam um; e como és tu, ó Pai, em mim e eu em ti, também sejam eles em nós; para que o mundo creia que tu me enviaste.
> ...que sejam aperfeiçoados na unidade, para que o mundo conheça que tu me enviaste e os amaste, como também amaste a mim." (João 17.21–23).

Jesus diz que a vida da comunidade cristã leva à fé; mais especificamente, à fé na Trindade: "eu neles, e tu em mim". O conhecimento de Deus que as pessoas recebem mediante a comunidade cristã é conhecimento trinitário. É por meio da unidade do povo de Deus — a unidade que reflete a unicidade divina — que o mundo saberá que Jesus foi enviado pelo Pai. Para muitos muçulmanos, a Trindade é a principal pedra de tropeço para vir a Cristo. Muito da literatura sobre como se relacionar com os muçulmanos enfoca as explanações e defesas intelectuais da Trindade. No entanto, a apologética máxima para a Trindade não é um argumento habilmente engendrado, uma analogia adequada, ou uma explanação filosófica. É a vida comum da comunidade cristã.

A ligação entre Jesus e Iavé, o Deus pactual de Israel, tem sido questão-chave em todo o Evangelho de João. Jesus disse que a vindicação de sua afirmativa de ser um com o Pai se dará pela unidade dos crentes. Jesus ora para que seus seguidores sejam um, participando da vida trinitária, a fim de que o mundo creia.

Tal unidade não é institucional. Ela pode ser observada e experimentada. É uma unidade relacional que reflete e participa dos relacionamentos trinitários. Não precisamos ser comunidades perfeitas, pois pela graça divina, e não por nossa própria bondade, testemunhamos a missão trinitária que nos une a Deus e uns aos outros. Quando as pessoas enxergam o amor que temos uns pelos outros e nossa unidade na verdade, confessam ser Jesus a verdade.

Através dos séculos, os cristãos frequentemente tentaram inventar uma imagem que explicasse a Trindade. Como vimos, Agostinho falou de uma mente que consiste em entidades distintas (memória, entendimento e amor), mas inter-relacionadas. Alguns apontam o exemplo da água, que é uma substância que toma a forma do gelo, do líquido e do vapor; ou de uma pessoa que tem os diferentes papéis de filho, esposo e empregado. Essas duas analogias, contudo, são mais próximas do modalismo do que do trinitarismo ortodoxo. Na verdade, algumas pessoas veem a evidência da Trindade em quase tudo que enxergam trino! (um trevo de três folhas e assim por diante).

Mas nenhuma dessas analogias satisfaz. Todas estão aquém de uma descrição verdadeira da Trindade. O melhor que tais analogias fazem é mostrar que três e um podem coexistir. A questão é: três *o quê* e um *o quê*? Quando tentamos responder isto por meio de analogias, elas nos fazem desviar.

No segundo mandamento, Deus proíbe os israelitas de criar uma imagem dele (Êxodo 20.4–6). Em Deuteronômio 4, diz Moisés:

> Guardai, pois, cuidadosamente, a vossa alma, pois aparência nenhuma vistes no dia em que o SENHOR, vosso Deus, vos falou em Horebe, no meio do fogo; para que não vos corrompais e vos façais alguma imagem esculpida na forma de ídolo, semelhança de homem ou de mulher, semelhança de algum animal que há na terra, semelhança de algum volátil que voa pelos céus, semelhança de algum animal que rasteja sobre a terra, semelhança de algum peixe que há nas águas debaixo da terra. Guarda-te não levantes os olhos para os céus e, vendo o sol, a lua e as estrelas, a saber, todo o exército dos céus, sejas seduzido a inclinar-te perante eles e dês culto àqueles, coisas

que o SENHOR, teu Deus, repartiu a todos os povos debaixo de todos os céus. (Deuteronômio 4.15-19).

Quando Deus foi revelado no Monte Sinai, Moisés fala ao povo de Israel: "Então, o SENHOR vos falou do meio do fogo; a voz das palavras ouvistes; porém, além da voz, não vistes aparência nenhuma" (Deuteronômio 4.12). Deste modo, os israelitas não poderão formar nada como representação de Deus, porque Deus não pode ser representado por coisas criadas. Ele fica sem imagem no mundo. Exceto que Moisés continua: "Mas o SENHOR vos tomou e vos tirou da fornalha de ferro do Egito, para que lhe sejais povo de herança, como hoje se vê." (Deuteronômio 4.20). É um jeito estranho de descrever o Egito — "fornalha de ferro". Trata-se da linguagem de fabricação de um ídolo. O próprio Deus fez para si um molde de sua imagem. É como se ele tivesse derramado o povo de Israel, como metal derretido, em seu próprio molde. Não podemos fazer nenhuma imagem de Deus, pois o próprio Deus fez uma imagem de si mesmo no mundo — a humanidade. A imagem de Deus na humanidade foi maculada por nossa rebeldia. Mas agora, o povo redimido de Deus é sua imagem no mundo. É assim que o mundo saberá (ver Deuteronômio 4.5-8).

Diz Jesus que quando o mundo vir nossa vida em comunidade, saberá que ele foi enviado pelo Pai para salvar o mundo. Este é o desafio: Quando é que o mundo *verá* nossa vida em comunidade? Quando é que nossos amigos enxergarão o amor da comunidade cristã? Será que eles reconheceriam nossa comunidade como obra de Deus e sinal de sua graça? Será que nossa comunidade reflete a comunidade trinitariana?

Conclusão

Começamos considerando a pergunta de muçulmanos sobre a Trindade. Como eu deveria responder a essas perguntas?

- Eu os levaria aos Evangelhos e os mostraria a história de Jesus
- Eu os introduziria ao homem de Nazaré, cujas palavras e vida revelavam ser ele o Filho de Deus, enviado pelo Pai.
- Eu os levaria à cruz e explicaria a eles como, naquele local, Deus tanto julga como é julgado em nosso lugar.
- Eu oraria para que o Espírito que dá a Vida confirmasse a obra de redenção em suas vidas, abrindo os olhos deles para que reconhecessem no Filho a revelação do Pai.

Mas eu também os apresentaria à comunidade cristã:

- Eu os introduziria à rede de relacionamentos de fé da qual tenho o privilégio de participar;
- Desejaria que eles nos vissem como participantes da vida trinitariana;
- Desejaria que vissem que não somente nos submetemos à vontade de Deus, como também conhecemos verdadeiramente a Deus como Pai por meio do Filho e pelo Espírito;
- Desejaria que eles vissem nosso relacionamento um com os outros não como relacionamentos perfeitos, mas relacionamentos que reflitam nossa experiência da graça trina;
- Desejaria que vissem uma comunidade sobrenatural que reflita o envio do Filho pelo Pai no poder do Espírito, e a glorificação do Pai pelo Espírito, por meio do Filho.

Somente quando experimentarem a realidade da obra da Trindade na vida dos crentes, e seu vibrante relacionamento com o Deus trino, é que esta doutrina externamente complicada deixará de ser um jogo acadêmico. Isso pode ocorrer à medida que o Espírito de Deus abrir seus olhos para o amor do Pai e para o sacrifício voluntário do Filho sobre a cruz, deixando de ser a doutrina da Trindade uma argumentação de derrubada, para começar a ser a esperança de sua salvação.

LEITURAS ADICIONAIS

Se após a leitura deste livro você quiser ler mais sobre a Trindade, sugiro *The Doctrine of God*, de Gerald Bray, *The Holy Trinity*, de Robert Letham, ou *The Trinity*, de Philip Butin.

FUNDAMENTOS BÍBLICOS

God in Three Persons (*Deus em três pessoas*), de Allen Vander Pol, é uma introdução simples ao material bíblico, começando com a pessoa de Cristo. Veja também: *Our Triune God* (*Nosso Deus triuno*), de Peter Toon; *The Shadow of the Almighty* (*A sombra do Todo Poderoso*), de Ben Witherington III e Laura Ice; o capítulo 4 do livro de Tom Wright, *What St. Paul Really Said* (*O que São Paulo realmente disse*); e o clássico de Arthur Wainwright, *The trinity in the New Testament* (*A Trindade no Novo Testamento*).

DESENVOLVIMENTOS HISTÓRICOS

Muitas das obras dos períodos patrístico, medieval e da Reforma estão disponíveis na internet. Verifique, por exemplo, www.ccel.org. A maioria das principais obras está publicada em *The Library of Christian Classics* (*Biblioteca de clássicos cristãos*), Westminster/SCM, 1953. Encontram-se disponíveis também em coletâneas de leitura, como: *The Christian Theology Reader* (*Leitor de teologia cristã*), de Alister McGrath (ed.), Blackwell, 2ª ed., 2001; e *Documents in Early Christian Thought* (*Documentos do pensamento cristão primitivo*), de Maurice Wiles e Mark Santer, CUP, 1975.

A história clássica da doutrina da Trindade está em *The Triune God* (*O Deus triuno*), de Edmund Fortman. Veja também, de Gerald Bray, *The Doctrine of God* (*A doutrina de Deus*); *The Trinity* (*A Trindade*), de Philip Butin; *The Holy Trindade* (*A santa Trindade*), de Robert Letham; *The Trinity Guide to the Trinity* (*Guia da Trindade à Trindade*), de William La Due; e *The Triune God* (*O Deus triuno*), de Ralph Del Colle.

Sobre os Pais da igreja primitiva, ver *The Trinitarian Faith*, de T. F. Torrance. Alasdair Heron oferece uma boa introdução à disputa do *filioque* em *The* Filioque *Clause*. Sobre os Reformadores, ver *Calvin and Augustine*, de Bray e Benjamin Warfield. Acerca do período moderno, veja, de John Thompson, *Modern Trinitarian Perspectives*. *New Dictionary of Theology*, de Sinclair B. Ferguson e David F. Wright (eds.), IVP, 1988, é também um útil recurso.

IMPLICAÇÕES PRÁTICAS

Sobre a Trindade e a revelação, veja *Understanding the Trinity*, de Alister McGrath, e também *Church Dogmatics* (A Dogmática da Igreja) de Karl Barth (1.1). A respeito dos diferentes pontos de vista quanto à expiação, o clássico de John Stott, *A cruz de Cristo*. Com relação à Trindade e a humanidade, *The Human Identity Crisis*, de Michael Ovey, e *Shared Life*, de Macleod. Mais difíceis, porém muito estimulantes, temos *The Promise of Trinitarian Theology* e *The One, the Three and the Many*, ambos de Colin Gunton. E finalmente, acerca da Trindade e a igreja, *After Our Likeness*, de Miroslav Volf, que também resumiu esse tema em seu livro *Community Formation*.

BIBLIOGRAFIA

Aulén, Gustaf, *Christus Victor: An Historical Study of the Three Main Types of the Idea of the Atonement* (SPCK, 1931)
Barth, Karl, *Church Dogmatics* (T&T Clark, 1960)
_____ . *Dogmatics in Outline* (SCM, 1949)
Bauckham, Richard, "Biblical Theology and the Problems of Monotheism", in Craig Bartholomew, Maria Healy, Karl Möller and Robin Parry (eds.), *Out of Egypt: Biblical Theology and Biblical Interpretation* (Zondervan/Paternoster, 2004/2005)
Blyth, Myra, *Celebrating the Trinity* (Grove Books, 2003)
Boff, Leonardo, *Holy Trinity, Perfect Community* (Orbis, 2000)
_____ . *Trinity and Society* (Orbis, 1988)
Bray, Gerald, "The Patristic Dogma", in Peter Toon and James D. Spiceland (eds.), *One God in Trinity* (Samuel Bagster, 1980), pp.42–61
_____ . *The Doctrine of God* (IVP, 1993)
Brown, David, *The Divine Trinity* (Duckworth, 1985)
Brunner, Emil, *The Christian Doctrine of God: Dogmatics Vol 1* (Lutterworth, 1949)
Butin, Philip W., *Reformed Ecclesiology: Trinitarian Grace According to Calvin*, Studies in Reformed Theology and History 2:1 (Princeton Theological Seminary, 1994)
_____ . *The Trinity* (Geneva Press, 2001)
Calvin, John, *The Institutes of Christian Religion*, The Library of Christian Classics, Vols. XX and XXI (Westminster Press/SCM, 1961)

Coffey, David, *Deus Trinitas: The Doctrine of the Triune God* (OUP, 1999)

Colle, Ralph Del, "The Triune God", in Colin E. Gunton (ed.), *The Cambridge Companion to Christian Doctrine* (CUP, 1997), pp. 121-140

Cunningham, David, S., *These Three Are One: The Practice of Trinitarian Theology* (Blackwell, 1998)

Edgar, Brian, *The Message of the Trinity: Life in God* (IVP, 2004)

Fiddes, Paul S., *Participating in God* (DLT, 2000)

Fortman, Edmund J., *The Triune God* (Hutchinson/Westminster, 1972)

Gunton, Colin E., "The Doctrine of Creation", in Colin E. Gunton, *The Cambridge Companion to Christian Doctrine* (CUP, 1997), pp. 141-157

The Christian Faith: An Introduction to Christian Doctrine (Blackwell, 2002)

The One, the Three and the Many: God, Creation and the Culture of Modernity (CUP, 1993)

The Promise of Trinitarian Theology (T&T Clark, 1991)

Heron, Alasdair, "The *Filioque* Clause", in Peter Toon and James D. Spiceland (eds.), *One God in Trindade* (Samuel Bagster, 1980), pp. 62-77

Jenson, Michael, "The Very Practical Doctrine of the Trinity", *The Briefing* 249 (March 2001), pp. 11-14

Jenson, Robert W., "The Triune God", in Carl E. Braaten and Robert W. Jenson (eds.), *Christian Dogmatics*, Vol. 1, (Fortress, 1984), pp. 83-191

Kasper, Walter, *The God of Jesus Christ* (SCM, 1982, ET, 1983)

Kelly, J. N. D., *Early Christian Doctrines* (A&C Black, 2nd Ed., 1960)

La Due, William J., *The Trinity Guide to the Trinity* (Trinity Press, 2003)

Letham, Robert, "The Trinity—Yesterday, Today and the Future", *Themelios* 28:1 (Autumn 2002), pp. 26–36

The Holy Trinity: In Scripture, History, Theology, and Worship (P&R, 2005)

Lewis, Peter, *The Message of the Living God* (IVP, 2000)

Lonergan, Bernard, *The Way to Nicea: The Dialectical Development of Trinitarian Theology* (DLT, 1976)

Macleod, Donald, *A Faith to Live By* (Mentor, 1998)

⎯⎯⎯⎯⎯ *Behold Your God* (Christian Focus, 1990, 2nd Ed. 1995)

⎯⎯⎯⎯⎯. *Shared Life: The Trinity and the Fellowship of God's People* (Christian Focus, 1994)

McGrath, Alister, "Trinitarian Theology", in Mark A. Noll and Ronald F. Thiemann (eds.),

⎯⎯⎯⎯⎯. *Where Shall My Wond'ring Soul Begin: The Landscape of Evangelical Piety and Thought* (Eerdmans, 2000), pp. 51–60

⎯⎯⎯⎯⎯. *Christian Theology: An Introduction* (Blackwell, 3rd ed., 2001)

⎯⎯⎯⎯⎯. *Understanding the Trinity* (Kingsway, 1987)

Moltmann, Jürgen, *History and the Triune God* (SCM, 1991)

⎯⎯⎯⎯⎯. *The Crucified God* (SCM, 1974)

⎯⎯⎯⎯⎯. *The Future of Creation* (SCM, 1979)

⎯⎯⎯⎯⎯. *The Spirit of Life: A Universal Affirmation* (SCM, 1992)

⎯⎯⎯⎯⎯. *The Trinity and the Kingdom of God: The Doctrine of God* (SCM, 1981)

Olyott, Stuart, *The Three are One* (Evangelical Press, 1979)

Ovey, Michael, "The Human Identity Crisis: Can We Do Without the Trinity?" *Cambridge Papers* 4:2 (June 1995)

Packer, J. I., *Knowing God,* (Hodder & Stoughton, 1973)

Parry, Robin, *Worshipping Trinity: Coming Back to the Heart of Worship* (Paternoster, 2005)

Pol, Allen Vander, *God in Three Persons: Biblical Testimony to the Trinity* (P&R, 2001)

Poythress, Vern S., *God-Centred Biblical Interpretation* (P&R, 1999)
Prestige, G. L., *God in Patristic Thought* (Heinemann, 1936)
Rahner, Karl, *The Trinity* (Burns & Oates, 1970)
Ramachandra, Vinoth, *Gods That Fail: Modern Idolatry and Christian Mission* (Paternoster, 1996)
Olsen, Roger E., *The Mosaic of Christian Belief: Twenty Centuries of Unity and Diversity* (IVP/Apollos, 2002)
Stott, John, *A Cruz de Cristo* (Editora Vida, 2006)
Thompson, John, *Modern Trinitarian Perspectives* (OUP, 1994)
Toon, Peter and James D. Spiceland (eds.), *One God in Trinity* (Samuel Bagster, 1980)
Toon, Peter, *Our Triune God: A Biblical Portrayal of the Trinity* (Victor Books, 1996)
Torrance, Alan, "The Trinity", in John Webster (ed.), *The Cambridge Companion to Karl Barth* (CUP, 1997), pp. 72–91
Torrance, James B., *Worship, Community and the Triune God of Grace* (Paternoster/IVP, 1996)
Torrance, T. F., *The Trinitarian Faith* (T&T Clark, 1988)
 Theology in Reconstruction (SCM, 1965)
Volf, Miroslav, "Community Formation as an Image of the Triune God", in Richard N. Longenecker (ed.), *Community Formation in the Early Church and in the Church Today* (Hendrickson, 2002), pp. 213–237
_____ . *After Our Likeness: The Church as the Image of the Trinity* (Eerdmans, 1998)
Wainwright, Arthur W., *The Trinity in the New Testament* (SPCK, 1962)
Warfield, Benjamin B., *Calvin and Augustin* (P&R, 1956, 1974)
Williams, Stephen N., *Revelation and Reconciliation: A Window on Modernity* (CUP, 1995)
Witherington III, Ben, and Laura Ice, *The Shadow of the Almighty: Father, Son and Spirit in*

_____. *Biblical Perspective* (Eerdmans, 2002)

Wright, N. T., *Who Was Jesus?* (SPCK, 1992); *What Saint Paul Really Said* (Lion, 1997)

FIEL
MINISTÉRIO

O Ministério Fiel visa apoiar a igreja de Deus, fornecendo conteúdo fiel às Escrituras através de conferências, cursos teológicos, literatura, ministério Adote um Pastor e conteúdo online gratuito.

Disponibilizamos em nosso site centenas de recursos, como vídeos de pregações e conferências, artigos, e-books, audiolivros, blog e muito mais. Lá também é possível assinar nosso informativo e se tornar parte da comunidade Fiel, recebendo acesso a esses e outros mate- riais, além de promoções exclusivas.

Visite nosso site
www.ministeriofiel.com.br

Esta obra foi composta em Adobe Garamond Pro Regular 12, e impressa na Promove Artes Gráficas sobre o papel Pólen Natural 70g/m², para Editora Fiel, em Agosto de 2023.